Como a **Starbucks** salvou minha vida

MICHAEL GATES GILL

Como a **Starbucks** salvou minha vida

SEXTANTE

Título original: *How Starbucks Saved My Life*

Tradução
Fabiano Morais

Preparo de originais
Luciano Trigo

Revisão
Ana Grillo, Masé Sant'Anna e Sheila Til

Projeto gráfico e diagramação
Ilustrarte Design e Produção Editoral

Ilustração da capa
Simon Spilsbury

Adaptação da capa
Miriam Lerner

Pré-impressão
ô de casa

Impressão e acabamento
Lis Gráfica e Editora Ltda.

CIP-BRASIL. CATALOGAÇÃO-NA-FONTE
SINDICATO NACIONAL DOS EDITORES DE LIVROS, RJ

G397c Gill, Michael (Michael Gates)
Como a Starbucks salvou minha vida / Michael Gates Gill [tradução de Fabiano Morais]. – Rio de Janeiro: Sextante, 2008.

Tradução de: How Starbucks saved my life
ISBN 978-85-7542-433-9

1. Gill, Michael (Michael Gates). 2. Starbucks Coffee Company – Trabalhadores – Nova Iorque (Estados Unidos : Estado) – Biografia. 3. Cafés – Nova Iorque (Estados Unidos : Estado). I. Título.

08-3755 CDD: 926.4795
CDU: 929:640.44

GMT Editores Ltda.
Rua Voluntários da Pátria, 45 – Gr. 1.404 – Botafogo
22270-000 – Rio de Janeiro – RJ
Te.: (21) 2286-9944 — Fax: (21) 2286-9244
E-mail: atendimento@esextante.com.br
www.sextante.com.br

A meus filhos,
com gratidão pelos
seus corações compreensivos.

NOTA DO EDITOR

O hábito de tomar café nunca mais foi o mesmo depois da Starbucks. Sua primeira loja foi inaugurada em Seattle, em 1971, e hoje ela é a maior rede de cafeterias do mundo, com uma receita anual de 8 bilhões de dólares e mais de 16 mil pontos de venda, em 45 países – inclusive o Brasil, aonde chegou em dezembro de 2006.

Inspirada no conceito de um "terceiro lugar" entre a casa e o trabalho, onde as pessoas podem passar o tempo de forma agradável, a Starbucks tem várias características peculiares que explicam o sucesso da marca, como a seleção rigorosa dos grãos que comercializa e lojas com música ambiente, acesso wi-fi e atendimento rápido e cordial – além de oferecer diferentes tipos de bebidas quentes e geladas, derivadas ou não do café *espresso*.

Os clientes podem "personalizar" suas bebidas, escolhendo o tipo de café, de leite, o tamanho do copo e ingredientes adicionais. Entre as mais consumidas estão o clássico Caffè Latte, o Caffè Mocha, o Caramel Macchiato e o Frappuccino. Apesar de pouco usuais, esses nomes são logo incorporados ao vocabulário da clientela, que tende a ser fiel.

Outra característica da Starbucks é que os funcionários criam um vínculo emocional com a empresa. Cada loja possui pelo menos dois baristas, que recebem não apenas treinamento para o preparo e a degustação como também instrução sobre o cultivo, a torrefação e a compra do café. A rede ainda ficou famosa por oferecer aos seus funcionários um pacote de benefícios diferenciado, incluindo ações da companhia.

1

DEIXANDO DE TOMAR LATTES PARA SERVI-LOS

"A humildade nos faz progredir."
– frase de Wynton Marsalis, músico de jazz,
impressa no copo de um Tall Latte
Desnatado Duplo da Starbucks

Esta é a surpreendente história verídica de um velhote branquelo que foi chutado do topo da elite americana, conheceu por acaso uma mulher negra de origem totalmente diferente da sua e aprendeu o que importa na vida. Ele nasceu cercado de privilégios, num bairro rico de Manhattan; ela nasceu pobre, num conjunto habitacional no Brooklyn. Ele era um publicitário poderoso que tinha perdido tudo; ela veio das ruas e alcançou o sucesso – a ponto de poder oferecer a um estranho a chance de se salvar.

Esta é a minha história e, como todas as histórias surpreendentes, ela começa com um acidente.

MARÇO

Eu não deveria estar nem perto do local onde vivi aquela experiência transformadora. Mas naquele dia especialmente chuvoso de março, no ano passado, não pude resistir à vontade de voltar no tempo.

Você já teve vontade – quando a vida parece dura demais – de voltar ao conforto do lar da sua infância? Eu tinha sido o único filho homem de pais extremamente amorosos embora muitas vezes ausentes, e queria lembrar como era estar no lugar privilegiado que um dia eu tinha ocupado no universo. Quando me dei conta, estava diante da casa de quatro andares onde cresci.

Tive, de repente, a visão de um guindaste içando um piano de cauda Steinway para dentro da sala de estar do segundo andar. Minha mãe decidira que eu devia aprender a tocar piano, e papai embarcou no projeto. Nada era bom demais para o seu garoto, e ele se apressou a comprar o modelo mais caro que havia. Comprado o enorme Steinway, o problema era enfiar aquele instrumento magnífico dentro da nossa casa, uma construção de 100 anos com escadas estreitas e íngremes.

Meu pai estava disposto a encarar o desafio. Contratou um guindaste e mandou os homens içarem o piano até o segundo andar, onde, abrindo as janelas de batente e virando-o de lado, eles conseguiram fazer o piano passar, raspando. Papai ficou orgulhosíssimo do seu feito, e mamãe ficou encantada. E é claro que eu fiquei secretamente feliz, por ser o motivo de todo aquele rebuliço. Naquele instante, olhando para a construção imponente que um dia fora meu lar, eu pensava no quanto todo aquele esforço extravagante devia ter custado. Como eu tinha decaído, desde aquela época feliz. Minha infância, na qual dinheiro nunca foi um problema, já estava muito longe de mim. No presente, eu estava quase falido.

Dando as costas aos confortos do passado, fui buscar algum consolo num Latte, aquele clássico café coberto por espuma de leite. Um dos meus últimos luxos. Tinham aberto uma filial da Starbucks na esquina da Lexington com a Rua 78, onde na minha infância havia uma padaria. Deprimido como estava, nem percebi o cartaz na entrada, que dizia "Festa de Contratação". Mais tarde, descobriria que a Starbucks promove eventos assim quase toda semana em Nova York, quando gerentes de várias lojas se reúnem para entrevistar funcionários em potencial. Olhando para trás, entendo que a sorte que abandonara minha vida voltou no instante em que decidi entrar naquela loja.

Ainda no meu casulo de autocomiseração e nostalgia, pedi meu Latte e me sentei numa mesa pequena, sem olhar para ninguém ao meu redor. Olhava para dentro de mim mesmo, tentando compreender uma vida que parecia ter fugido totalmente do controle.

– Você quer um emprego?

Aquilo me despertou dos meus devaneios. A dona da voz estava sentada na mesa ao lado, mexendo em alguns papéis com uma rapidez profissional. Era uma negra jovem e bonita, que usava um uniforme da Starbucks. Não tinha nem olhado para ela antes, mas percebi, então, que usava um bracelete de prata e um relógio caro. Ela parecia confiante e segura de si.

Fiquei pasmo. Não estava acostumado a interagir com ninguém na Starbucks. Nos últimos meses, eu vinha freqüentando muitas filiais, mas não pensava nelas como lugares para relaxar ou bater papo, e sim como "escritórios", de onde poderia ligar para clientes em potencial – embora nenhum deles estivesse atendendo minhas ligações. Minha pequena empresa de consultoria estava indo ladeira abaixo rapidamente. Marketing e publicidade são um ramo para jovens. Aos 63 anos, eu via meus esforços se depararem com um silêncio ensurdecedor.

– Um emprego – repetiu a mulher, sorrindo, como se eu não tivesse ouvido. – Você gostaria de um?

Eu era tão transparente assim? Será que, apesar do meu elegante terno risca-de-giz e da postura de manda-chuva – eu estava com o celular sobre a maleta de couro, como se esperasse uma ligação importante – ela conseguia ver que eu era, na verdade, um fracassado? Eu, um ex-diretor de criação da J. Walter Thompson, a maior agência de publicidade do mundo, ia querer um emprego na Starbucks?

Aquela foi uma das poucas vezes na minha vida em que não consegui pensar em nenhuma mentira educada ou resposta que não fosse verdadeira.

– Sim – falei sem pensar. – Eu quero um emprego.

Nunca tinha precisado procurar emprego antes. Depois de me formar em Yale em 1963, recebi uma ligação de James Henry Brewster IV, um amigo meu do diretório acadêmico.

– Gates – ele disse com convicção –, estou arranjando uma vaga para você na J. Walter Thompson.

Jim trabalhava na Pan Am, na época a maior companhia aérea do mundo – e cliente importante da Thompson, a agência de publicidade mais conhecida como JWT. Nós dois tínhamos nos divertido bastante na faculdade – seria ótimo trabalharmos juntos!

Jim marcou a entrevista. Quando fui conhecer o pessoal na JWT, estava confiante. Não só tinha a "mãozinha" de Jim, como o dono da agência, Stanley Resor, também vinha de Yale. O filho dele, Stanley Resor Jr., tinha sido colega de quarto de um tio meu. Eu visitara a família Resor em sua fazenda, no verão anterior.

Esses contatos se mostraram inestimáveis. A publicidade era considerada uma profissão glamourosa. Os comerciais de TV estavam deslanchando, cada vez mais engraçados e interessantes. Um monte de gente queria entrar num negócio em que se podia ganhar muito dinheiro dando margem à criatividade. O programa de treinamento da JWT era considerado o melhor do ramo e só contratava um ou dois redatores por ano.

Eu fui um desses contratados.

Foi amor à primeira vista. Tudo o que eu tinha a fazer era falar e escrever – habilidades naturais para mim – e eles me pagavam absurdamente bem por isso. Eu era bom no que fazia, e os clientes gostavam das minhas idéias.

Também descobri que gostava de fazer apresentações originais, o que trazia um pouco de vida e humor ao que poderia ser uma reunião muito chata. Por exemplo, fomos chamados para a concorrência da multimilionária campanha de recrutamento do Departamento de Defesa. A apresentação foi no Pentágono. Quando entrei lá, vi uma fileira de homens condecorados sentados atrás de uma mesa alta. Era a Junta de Chefes do Estado-Maior. Estavam sentados como estátuas, claramente irritados por terem sido arrastados para algo tão frívolo quanto uma reunião de marketing.

Andei até a frente da sala, carregando minha pasta. Enfiei a mão nela e tirei um arco e flecha. Uma pessoa da minha equipe foi até o outro lado da sala com um alvo desenhado num pedaço de isopor. A intenção era dramatizar o fato de que acreditávamos em publicidade para um público-alvo específico. Eu queria usar no meu discurso algo com que aqueles militares pudessem se identificar: uma arma. Também queria garantir que, já que seríamos a primeira de 13 agências que aqueles homens receberiam, eles se lembrariam de nós no final do dia.

Puxei a flecha para trás e a soltei. Graças a Deus, acertei na mosca. Por um instante, fez-se um silêncio sepulcral naquela sala. Ninguém se mexeu. Ninguém falou nada. Então, todos os quatro líderes militares começaram a aplaudir, e ouvi alguns vivas e risos. Ganhamos a concorrência.

Além de gostar do que fazia, eu trabalhava muito. No saguão do prédio da JWT em Nova York, havia um livro de controle de entrada, e eu sempre tentava ser o primeiro a assiná-lo na entrada e um dos últimos na saída. Fui promovido cedo e com freqüência, passando de redator a diretor de criação e, mais tarde, a vice-presidente executivo de inúmeras contas importantes, incluindo a Ford, o Burger King, a Christian Dior, o Corpo de Fuzileiros Navais dos Estados Unidos e a IBM.

Eu estava disposto a ir a qualquer lugar pelos nossos clientes. A JWT era uma empresa internacional, que esperava de você disponibilidade para viajar dentro e fora do país. Não hesitava em deslocar minha família crescente – entre uma campanha e outra, encontrei tempo para casar, ter uma lua-de-mel de duas semanas e, na hora certa, quatro filhos –, me mudando para trabalhar em escritórios em Toronto, Washington e Los Angeles. Via o trabalho como uma parte essencial do meu papel de bom provedor. No que dizia respeito à família, nenhum sacrifício era grande demais. Assim, a JWT se tornou minha prioridade.

Por uma ironia terrível, como eu viajava centenas de milhares de quilômetros, quase não via meus filhos. Meus clientes se tornaram minha família, e meus filhos cresceram sem mim. Aquela moça bonita se formando no secundário era mesmo o bebê fofo que eu chamava de Annie? Meus olhos se encheram de lágrimas ao vê-la receber o diploma, parecendo tão adulta e tão preparada para sair de casa e da minha vida. Percebi com dolorosa clareza que tinha perdido vários momentos preciosos com ela, e com todos os meus filhos.

Ainda assim, eu me convenci – mesmo naquele instante – de que o sacrifício tinha valido a pena, pois a JWT sempre me apoiara. Meu salário era alto e os benefícios, excelentes, de modo que, mesmo com as crianças indo para a faculdade e as contas prestes a ficar ainda mais absurdas, eu não precisava arrancar os cabelos. No meu íntimo, chegava a me dar os parabéns. É por isso que você foi esperto o bastante para se dedicar a uma empresa, pensei: pela estabilidade e pelo dinheiro. Como muitos dos homens da minha geração que aceitaram o papel do "provedor", criei uma justificativa para minha devoção ao trabalho e minha confiança na JWT.

Exagerando na lealdade, trabalhava até altas horas, sempre disposto a adaptar minha agenda pessoal às necessidades dos clientes. Lembro-me da vez em que recebi um telefonema de um cliente da Ford no dia de Natal, quando meus filhos eram pequenos. Eu estava me preparando para passar um raro dia em casa e ter a chance de brincar com Elizabeth, Annie, Laura e Charles, gozando alguns momentos de descontração como um pai de família de verdade. O cliente queria fazer uma promoção de vendas de fim de ano. Será que eu poderia dirigir uns comerciais? A Ford adorava explorar a agência e, como gastava milhões de dólares em publicidade, nunca fazia uma proposta que você pudesse recusar tranqüilamente, se desse valor ao seu emprego.

– Claro – respondi. – Quando?

– Agora – ele disse.

Ouvi aquelas palavras enfáticas e soube que tinha que ir, deixando meus filhos em prantos. Eles tinham acabado de desembrulhar seus presentes, espalhados no chão da sala de estar, e estávamos todos ainda de pijamas. Mas eu era um leal funcionário da JWT. Peguei um táxi até o aeroporto e um avião para Detroit.

Eu sentia muito orgulho de nunca ter me recusado a fazer nenhum sacrifício que a JWT me pedia. Portanto, foi um verdadeiro choque quando, depois de 25 anos de carreira, recebi uma ligação da jovem Linda White, alta executiva da agência.

– Vamos tomar o café da manhã juntos amanhã – ela disse.

Não era boa coisa ouvir aquilo de uma colega. Eu gostava de Linda. Alguns anos antes, convencera aquele grupo fechado de ex-colegas da faculdade de que precisávamos de uma jovem inteligente. Linda se saiu bem, e eu a ajudei a chegar à diretoria, na qual era a única mulher. Linda acabou se tornando presidente de várias contas, me ultrapassando na hierarquia da empresa.

Ela era uma das favoritas do novo dono da JWT, um inglês chamado Martin Sorrell, cuja experiência como contador lhe conferia uma preocupação especial com os lucros. Antes da chegada de Martin, a JWT era praticamente uma organização sem fins lucrativos, dedicada a fazer os melhores anúncios para os nossos clientes, sem se preocupar com os lucros. Martin pensava diferente. Ele avisou aos acionistas que estava mais interessado em aumentar os lucros do que em investir na qualidade. Sua oferta pela nossa companhia era hostil. Nós resistimos, mas Martin tinha os investidores de Wall Street do seu lado e triunfou facilmente.

Eu participara de uma reunião, na qual Martin disse, com todas as letras: "Gosto de estar cercado de gente jovem." Deveria ter prestado atenção naquilo, prevendo o que ia acontecer.

O próprio Martin tinha pouco mais de 40 anos. Linda, 30 e poucos. Não me admira que se dessem bem. Jovens, inteligentes, estavam ansiosos por se livrarem do que provavelmente consideravam "a velha guarda".

Na manhã do nosso café, Linda chegou tarde. Outro mau sinal. No mundo dos negócios, quanto maior seu status, mais atrasado você fica. Conscientemente ou não, Linda adotara o estilo.

Ela estava com os olhos vermelhos. Parecia ter chorado. Outro mau sinal. Sabia que Linda gostava de mim e me era grata por eu ter ajudado na sua carreira, mas também sabia que, na vida empresarial moderna, não há espaço para sentimentalismos. O fato de que eu ainda era bom no que fazia, era honesto e tinha passado toda a minha vida adulta ajudando a JWT a alcançar o sucesso era irrelevante.

Conheci Linda numa festa. Ela havia concluído o MBA em Harvard e era formada em história da arte. Como eu lhe disse na ocasião, aquela era uma excelente combinação no ramo da publicidade – idéias criativas seriam o seu forte, mas ela também garantiria que todo o processo fosse lucrativo. E eu estava certo. Mas as suas credenciais não teriam bastado para o emprego. Eu tive que apresentá-la como mais durona que qualquer outro cara que pudéssemos contratar. Para ajudar Linda a subir até o alto escalão da JWT, escrevi um memorando descrevendo-a como uma "empreendedora implacável". Mostrei para ela.

– Sou mesmo tão implacável assim? – Linda me perguntou, quase magoada.

– Não, talvez não – falei. – Mas eles têm que achar você tão durona quanto qualquer homem, principalmente na área administrativa. Provavelmente mais durona do que você é de fato. O estilo administrativo de que Martin gosta é o do devorador de números, o que inclui devorar pessoas.

Ajudei Linda a se concentrar no aspecto material dos negócios, ou seja, fazer dinheiro e ter uma atitude implacável de cortar "custos" – o que, na publicidade, sempre significa pessoal. Naquele momento, o custo a ser cortado era eu.

Sorri para ela, do outro lado da mesa. Não ia chorar. Mas parecia que eu estava morrendo. Meu coração doía. Será que eu estava enfartando? Não, só me sentia muito, muito triste. E com raiva de mim mesmo. Por que não tinha visto os sinais? Linda subiu na sua carreira na JWT; eu fiquei encalhado. Linda me deixou comendo poeira. E Martin gostava de Linda. No seu estilo educado, britânico, Martin deixava claro que não suportava estar na mesma sala que eu. Com meu cabelo branco ralo, eu era uma vergonha para o tipo de empresa enxuta, impiedosa, dura na queda e jovem que ele queria dirigir.

– Michael, tenho más notícias – ela disse.

Tive que me esforçar para olhá-la nos olhos.

O garçom veio me perguntar se queríamos mais alguma coisa. Garçons acham que os velhos são os donos da grana e estão no poder.

Balancei a cabeça, e ele recuou.

– Pode falar – respondi, com estoicismo. Eu não ia implorar por misericórdia. Sabia que não adiantaria nada. Esperava que Linda tivesse pelo menos me defendido, pelos velhos tempos. Mas, quando você é chamado para um café da manhã de negócios, fora do escritório, a decisão já está tomada. Eu sabia que já fazia parte do passado.

– Nós vamos ter que dispensá-lo, Michael. – Ela pronunciou as palavras como um robô. Posso dizer a seu favor que ela estava tendo dificuldade para falá-las, especialmente aquele "nós" majestoso. – A decisão não é minha – ela se apressou a acrescentar, e uma lágrima começou a descer pelo seu rosto. Ela a limpou depressa, com vergonha da própria emoção, principalmente na frente de um cara que a ensinara a ser tão durona. Não acho que estivesse fingindo. Acredito que estava triste de verdade pela minha demissão, e por ter sido escolhida para dar a notícia. Do ponto de vista do custo-benefício, eles não tinham nem o que pensar. Vários jovens poderiam escrever e falar tão rápido e bem quanto eu, pela quarta parte do salário. Se Linda tivesse se recusado a me demitir, não poderia mais fazer parte da máfia administrativa. Aquele era um teste para saber a quem ela devia lealdade: a um velho diretor de criação que a ajudara no passado ou ao jovem gênio financeiro que estava no comando da empresa? Linda tinha que provar a Martin que era implacável. É preciso matar para entrar para a máfia. Aquele era o seu rito de passagem.

Eu fui o mais corajoso possível. Pelo menos durante aqueles primeiros minutos com Linda. Ela me disse que eu receberia uma semana do meu salário atual para cada ano que passara na JWT. Sentia muito que não fosse mais, acrescentando que tinha certeza de que eu guardara algum dinheiro no decorrer de todos aqueles bons anos.

Pois sim!, disse a mim mesmo. Tenho uma casa cheia de filhos para criar!

Minha boca estava seca. Eu não conseguia falar.

– O.k. – disse Linda, se levantando. – Não precisa voltar para o escritório para arrumar suas coisas. Nós cuidamos disso.

Aquele "nós" de novo. Linda estava certamente pronta para o estrelato.

– Quero fazer um almoço de despedida para você, Michael, já que contribuiu tanto – disse Linda, já de pé. – Ligo para marcarmos. E Jeffrey Tobin, do RH, está à sua disposição para explicar os detalhes da indenização.

Passou pela minha cabeça processar a JWT, ou escrever cartas para alguns clientes. Mas Martin e Linda já tinham pensado nisso.

– Imagino que você queira se tornar consultor de criação, ou algo do gênero – prosseguiu Linda, assumindo um tom mais positivo. – É claro que Martin e eu lhe daremos ótimas recomendações. Eu o ajudarei pessoalmente, no que for possível – acrescentou. Eu estava morto na JWT, mas ela estava disposta a me manter em alguma espécie de sobrevida, se eu fosse um bom menino.

Ser despedido não é a melhor maneira de se começar uma empresa de consultoria. Mas eu sabia que precisava da boa vontade da JWT para ter alguma chance de conseguir trabalho com meus antigos clientes, ou com qualquer outro. Se eu causasse problemas, *seria* um problema, e não conseguiria trabalho.

O garçom chato apareceu novamente, e eu voltei a dispensá-lo com um gesto.

Linda apertou meus dois braços; foi quase um abraço, mas não exatamente.

– Não deixe de ligar para Jeffrey, Michael. Ele gosta de você. Vai ajudá-lo também.

O garçom voltou uma última vez e me entregou a conta.

Lá fora, o sol brilhava. Percebi de repente, com desespero, que não tinha para onde ir. Pela primeira vez em 25 anos, não tinha clientes me esperando para que eu explicasse uma campanha publicitária. Comecei a andar e me surpreendi chorando na rua. Era humilhante. Chorando! Eu! No entanto, aos 53 anos, eu acabara de receber um atestado de óbito profissional. No fundo, eu sabia que era uma péssima época para ser velho e estar no olho da rua.

E assim foi.

"Sim, eu quero um emprego." Não dizia aquelas palavras havia 35 anos. Este era o tempo que fazia desde que entrara para a JWT. E fazia 10 anos que eu tinha sido demitido do meu cargo de prestígio. Eu tinha aberto a minha própria empresa de consultoria e, no começo, consegui alguns bons trabalhos com antigos clientes. Mas então, lenta mas inexoravelmente, minhas ligações deixaram de ser retornadas. Não tinha nenhum projeto há meses. Até mesmo um Latte estava se tornando um luxo que eu não podia me dar.

Naquele instante, de frente para o meu Latte, olhando aquela funcionária confiante e sorridente da Starbucks, senti pena de mim mesmo. Ela me parecia tão despreocupada, tão jovem, tão cheia de opções. Mais tarde, descobri que tinha passado por mais dificuldades na vida do que eu poderia sonhar em passar em três encarnações.

Sua mãe, que morreu quando ela estava com 12 anos, era viciada em drogas. Jamais conheceu o pai. Quando a mãe sofreu overdose, ela foi morar na casa de uma tia, outra mãe solteira, que já precisava cuidar das suas várias crianças sem pai.

A tia era o diabo em pessoa. Aquela jovem me contaria mais tarde a ocasião terrível em que caíra pelas escadas de cimento do conjunto habitacional no Brooklyn onde morava. Ela fraturou o quadril, mas sua tia cruel simplesmente ralhou com ela, por ser tão desastrada, e se recusou a levá-la a um hospital. O osso calcificou, mas de um jeito horroroso, que lhe causava dor constante. Apesar da confiança que me transmitiu naquele dia, ela ainda sentia dor, física e emocional.

Mas, naquele instante, eu ainda era o centro do meu próprio universo, e meus problemas sugavam toda a minha atenção.

Para mim, aquela mulher tinha um grande poder – o poder de me empregar.

– Sim, eu quero um emprego. – Assim que as palavras saíram da minha boca, fiquei horrorizado. O que eu estava fazendo? Porém, ao mesmo tempo, sabia que queria um emprego. Precisava de um. E presumi que seria fácil conseguir trabalhar naquela loja da Starbucks... Não seria?

A jovem dispôs alguns papéis à sua frente e me olhou com seriedade.

– Então, você quer mesmo um emprego? – ela disse com desconfiança, balançando a cabeça. Tinha claramente colocado um pé atrás, diante da possibilidade real de eu trabalhar para ela.

De repente, a ficha caiu: a proposta de emprego tinha sido uma espécie de brincadeira. Talvez ela só quisesse tirar onda com a cara de um sujeito chato e certinho que parecia tão cheio de si. Talvez tivesse apostado com outro funcionário que faria aquilo. Mas, para surpresa dela, eu aceitei a proposta.

Ela me encarou com ceticismo.

– Você está disposto a trabalhar *para mim*?

Era impossível não notar a provocação por trás daquela pergunta: eu, um branco de idade avançada, estaria disposto a trabalhar para uma jovem negra?

Mais tarde, ela me confidenciaria que, quando era mais nova, ouvira sua tia rancorosa e amarga lhe dizer várias vezes: "Os brancos são nossos inimigos." Do seu ponto de vista, apenas me oferecer um emprego já era arriscado. Ela só daria mais um passo adiante se tivesse certeza de que eu não lhe traria problemas.

Eu também estava com um pé atrás. Toda aquela situação me parecia invertida. De onde eu vinha, eu teria sido a pessoa gentil e filantrópica que lhe ofereceria um emprego, não a que estava implorando pelo trabalho. Sabia que aquele era um sentimento errado, que eu estava sendo politicamente incorreto ao extremo – mas ele estava lá, zumbindo ao fundo. Era evidente que aquela jovem não se importava se eu iria aceitar ou não sua proposta de emprego. Meu mundo tinha virado de cabeça para baixo.

Nova York, 1945. Meus pais estavam sempre saindo para festas e jantares. Eu era um menininho solitário. Como de hábito, eles não estavam em casa quando voltei do colégio de ônibus, mas Nana, como sempre, estava me esperando com os braços abertos e um sorriso largo no rosto. Fui correndo para seu abraço afetuoso.

Aquela senhora, que morava conosco no casarão imponente na Rua 78, era o amor da minha vida. Ela era a cozinheira da família e minha amiga mais íntima. Eu passava todo o meu tempo com ela, na cozinha quente e cheirosa no porão, imitando Charlie Chaplin e fazendo-a rir. Ela me dava doces deliciosos, de nozes e passas. Quando seu pai ficou doente na Virginia, eu disse que ela deveria ir vê-lo. Duas semanas depois, ele morreu. Nana achou que eu tinha sido "enviado por Deus". Dizia também que eu seria um homem santo, um pastor. Eu era dentuço e orelhudo, mas Nana falava: "Você é um garoto lindo." Falava também que eu seria um grande conquistador.

Mais tarde, ouvi meus pais conversando na biblioteca. Falavam baixo. Aproximei-me furtivamente da porta para ouvi-los melhor.

– Nana está ficando muito velha para subir as escadas – disse mamãe.

Nossa casa tinha quatro andares, com 73 degraus; eu os tinha contado várias vezes, para aliviar o tédio.

– Sim, também acho que está ficando pesado para ela – concordou papai.

Meu coração se encolheu de horror. Eles não podiam deixar Nana ir embora. Corri até ela, chorando, mas sem poder lhe contar nada.

Semanas depois, quando voltei da escola, Nana não estava esperando meu ônibus. Ela tinha partido. Mamãe tinha contratado uma refugiada da Letônia para ser a nossa cozinheira. Ela me falou que estava fazendo uma boa ação, contratando a moça de 19 anos. A nova empregada trabalhava duro, mas mal falava inglês e não conversava comigo. Ela nem sequer me olhava, parecia ter medo de chegar perto de mim, ou de qualquer outra pessoa. Descobri, muito mais tarde, que era porque tinha sido estuprada pelos nazistas e pelos comunistas.

Por ser ainda muito criança, eu entendia apenas que Nana tinha ido embora, e que eu estava novamente sozinho naquela casa enorme. Sem ela, a cozinha ficava fria e vazia, mas eu não queria sair daquele lugar, que tinha sido dela. Eu me sentava em silêncio, no parapeito da janela da cozinha, e ficava olhando as gotas de chuva correrem vidro abaixo. Escolhia duas para ver qual chegava primeiro ao fim da janela. Se escolhesse a gota certa, dizia a mim mesmo, merecia ter um desejo realizado. Então eu desejava que Nana voltasse.

Enquanto eu me candidatava a um emprego na Starbucks a menos de 100 metros do casarão em que vivera até os 5 anos, senti um aperto repentino no coração por uma mulher que não via há quase 60 anos. A Nana daquela época era muito mais velha do que a funcionária do Starbucks à minha frente. Nana era amorosa, corpulenta e terna. Aquela jovem era profissional, baixinha e muito bonita. Faltavam muitos dentes no sorriso de Nana. O daquela jovem era de um branco perfeito e radiante. Nana era como uma mãe para mim. Aquela mulher deixava claro que sua relação comigo seria de chefe-e-empregado.

Aquelas duas mulheres não tinham absolutamente nada em comum – exceto o fato de serem negras. Como a maioria das pessoas que conhecia, eu gostava da idéia de integração mas, quanto mais velho ficava, mais me parecia que, no meu círculo social elitista, os brancos andavam com os brancos, e os negros andavam com os negros. Relacionar-me com uma negra num nível pessoal desencadeou memórias do único relacionamento verdadeiro que tive com uma mulher daquela cor.

Aquela jovem funcionária da Starbucks não tinha como saber que, por causa de Nana, eu estava mais que disposto, emocionalmente, a ser seu empregado – e a confiar nela. Era um sentimento irracional, disse a mim mesmo. Como pode um homem de 63 anos ser influenciado por uma emoção de uma criança de 4 anos? Mas era o que estava acontecendo.

– Você está disposto a trabalhar para mim? – ela perguntou.

– Eu adoraria trabalhar para você.

– Ótimo. Precisamos de gente. É por isso que estamos fazendo este evento hoje, e estou aqui para entrevistar algumas pessoas. – Ela mal olhava para mim enquanto me passava essas informações. Parecia que estava lendo os meus direitos, e não vendendo um emprego. – Você começa por aí, mas as oportunidades são ótimas. Eu nem cheguei a terminar o ensino médio e agora dirijo um grande negócio. Cada gerente tem a sua própria loja para administrar e contrata o pessoal que quiser.

Ela me entregou um papel.

– Aqui está o formulário de emprego. Agora vamos começar uma entrevista formal.

Ela estendeu a mão.

– Meu nome é Crystal.

Eu tinha passado aquele tempo todo sentado com meu Latte e meus papéis na minha mesa de canto. Derrubei minha maleta no chão ao me levantar desajeitadamente da cadeira, para apertar sua mão e dizer:

– Eu sou Mike.

Escolhi chamar minha empresa de Michael Gates Gill & Amigos, pois adorava a sonoridade do meu nome completo. Mas, naquela ocasião, senti que "Mike" era a melhor pedida. A única pedida.

– Mike – disse Crystal, remexendo novamente os papéis na mesa à sua frente, ainda sem olhar para mim. – Todos os parceiros da Starbucks são chamados pelo primeiro nome, e todos ganham benefícios excelentes.

Ela me entregou um livro grande.

– Dê uma olhada aqui e você verá todos os benefícios de saúde.

Peguei o livro com sofreguidão. Não sabia que o cargo oferecia plano de saúde. Eles tinham ficado caros demais para o meu bolso, e eu tive que desistir do meu, um erro cujas conseqüências poderiam ser graves, conforme descobrira recentemente. Qualquer dúvida que ainda tivesse sobre o emprego saiu voando pela janela.

Apenas uma semana antes, eu tinha feito meu check-up anual com meu médico. Geralmente ele dizia que minha saúde estava perfeita. Porém, daquela vez, balançou um pouco a cabeça e disse:

– Não deve ser nada, mas quero que você faça uma ressonância magnética.

– Por quê?

– Só quero me certificar. Você não disse que estava com um zumbido no ouvido?

– Um *pequeno* zumbido – eu me apressei em responder. Nunca tinha dado ao Dr. Cohen motivos para suspeitar de problemas de saúde. Se estivesse me sentindo mal, eu nem comentava. Ele era um grande adepto do estilo afetuoso porém durão, o que significava que era implacável na busca por algo de errado comigo.

– Um pequeno zumbido... Um zumbido! – disse ele, no seu tom de irritação habitual. Estava sem paciência para minha habilidosa evasiva. – Faça uma ressonância e depois vá ver o Dr. Lalwani.

– Dr. *Lalwani*? – O sobrenome não soava encorajador.

– Michael, você é um esnobe – disse o Dr. Cohen –, e isso ainda vai acabar matando você. O Dr. Lalwani é um médico de primeira linha. Acabou de concluir o doutorado em Stanford. Satisfeito agora?

Depois de uma vida inteira me tratando, o Dr. Cohen me conhecia muito bem.

Fiz a ressonância magnética. O Dr. Cohen tinha dito que levaria apenas "alguns minutos". Fiquei deitado lá por pelo menos meia hora. E também não gostei do fato de ter ouvido médicos entrando e saindo da sala.

– O que está acontecendo?

– Nada – disse o jovem enfermeiro. – Nós vamos mandar a ressonância para o Dr. Lalwani. Ele quer vê-lo.

Eu estava com raiva. Com raiva do Dr. Cohen, por ter insistido naquela ressonância idiota. Eu fui saudável a vida inteira. E não deixaria de ser àquela altura. Não podia arcar com problemas de saúde.

O Dr. Lalwani me deixou esperando quase a tarde inteira. Eu via pessoas entrando e saindo do seu consultório. Finalmente, ele apareceu com um sorriso de orelha a orelha. Aquilo era um bom sinal? Lalwani me chamou para o consultório com um gesto. Era pequeno, apertado e entulhado de papéis. Nada tranqüilizador. Eu preferiria um escritório amplo, com vista e um sofá confortável. Era óbvio que ele não estava se saindo muito bem na profissão.

– Sr. Gill – disse ele.

– Michael – falei, tentando ser simpático.

Porém, ele insistiu, sorrindo:

– Sr. Gill, tenho más notícias... Mas o senhor já sabia que devia haver algo de errado... Certo?

Eu sabia que devia haver algo errado? Ele estava louco? Eu achava que estava tudo bem!

– Do que o senhor está falando? – Eu mal conseguia conter minha ansiedade e minha raiva do seu ar tranqüilo.

– O problema do senhor é raro. Felizmente, está dentro de uma área na qual sou especialista.

– O que é? – quase gritei, mas era impossível apressar o Dr. Lalwani.

– Algo muito, muito raro. – Ele sorriu novamente. – Atinge apenas uma em cada 10 milhões de pessoas.

Eu esperei, furioso, mas também com a intuição de que tinha que deixar o bom doutor fazer a coisa do jeito dele. Estava assustado demais para me render ao seu estilo acadêmico.

– O que o senhor tem é chamado de neuroma acústico. Minha especialidade. Porém, ele é muito raro. É um pequeno tumor na base do seu cérebro... Que afeta a audição.

Por um instante, não consegui ver ou ouvir nada. Era como se tivesse levado um golpe direto na cabeça ou no peito. Acho que cheguei a parar de respirar.

O Dr. Lalwani, vendo minha imensa aflição, se apressou em continuar.

– Não é fatal – disse ele. – Eu posso operar. Mas devo lhe dizer que é uma operação muito delicada.

Recuperei a visão e a audição bem a tempo de ouvir aquelas palavras ameaçadoras. "Delicada" não era uma palavra que eu queria ouvir saindo da boca de um cirurgião.

– O que isso quer dizer?

– Nós perfuramos o crânio, e a operação é no cérebro. Eu sou, literalmente, um cirurgião de cérebro... Esta é uma cirurgia cerebral.

Ele era tão cheio de si. Eu o odiei por estar tão disposto a operar.

– Pode ser que sua audição não volte. É o tumor que está causando o zumbido. O senhor terá que ficar internado de uma a duas semanas antes de poder sair do hospital – ele disse.

– Antes de poder sair do hospital – repeti, atordoado.

– E levará vários meses para se recuperar totalmente. Porém, os índices de recuperação são bem altos. Mortes são muito raras. Pouca gente morre.

Gente... morre. Ele estava louco?

– Quando tenho que fazer a operação? – gaguejei. Minha boca estava seca.

– Eu a faria imediatamente... Mas talvez o senhor queira esperar vários meses, voltar, e daí nós fazemos outra ressonância, para vermos se o tumor cresceu. Ele pode crescer muito lentamente.

Finalmente, um raio de esperança. Como todo mundo, eu odiava a idéia de ficar em hospitais. Amigos meus tinham morrido neles. Isso sem falar que eu estava falido. Qualquer adiamento seria uma dádiva dos céus.

Levantei-me depressa, apertei a mão dele, saí do consultório e liguei imediatamente para o Dr. Cohen.

– Acho que você deveria fazer a cirurgia – ele disse.

– É – falei, fingindo concordar. – Mas vou esperar alguns meses para fazer outra ressonância.

Eu estava ganhando tempo. Desistir do meu próprio plano de saúde já era ruim, mas não ter condições de arcar com o plano de saúde dos meus filhos era muito pior. Eu me perguntava se o tumor era algum castigo cármico pelas minhas atitudes.

Sentado diante de Crystal, eu lia interessadíssimo o manual de benefícios da Starbucks. Eles pareciam abrangentes e ofereciam até otorrino e plano dentário – uma coisa que eu nunca consegui, nem como alto executivo na JWT.

Ergui os olhos para Crystal, cheio de esperança.

– Isso inclui filhos?

– Quantos você tem?

– Cinco – falei, pensando em como estava acostumado a dizer "quatro". Cinco.

Crystal sorriu, quase gentilmente.

– Você não brinca em serviço – disse ela.

– Pois é.

Não queria falar mais nada; era complicado demais para explicar, numa entrevista de emprego.

– Bem – ela prosseguiu, ainda num tom de voz positivo –, todos os seus cinco filhos podem ter cobertura por apenas uma pequena taxa a mais.

Que alívio. Meu filho mais novo, Jonathan, era o principal motivo para eu querer tanto um emprego. A culpa não era dele. Era toda minha.

Conheci Susan, a mãe de Jonathan, na academia, que começara a freqüentar logo depois de ser despedido. Eu precisava de um motivo para sair de casa todos os dias, e fazer exercícios se tornou a nova razão para me levantar da cama e ir para a rua.

Certa manhã, eu estava deitado numa esteira, descansando. A sala, que era usada de vez em quando para aulas de ioga, estava vazia. Susan entrou. Claramente não me notou. Ela chorava quando passou por mim, para se recostar numa parede.

– Você está bem? – perguntei. Não me sentia à vontade perto de pessoas emotivas.

Ela se assustou, mas não parou de chorar.

– Meu irmão está morrendo de câncer... Só tem poucos dias de vida...

– Sinto muito – falei, sentando-me na esteira e me preparando para sair.

– E no ano passado, meu pai morreu de câncer de pulmão.

– Sinto muito – repeti, levantando-me. Eu queria ir embora, mas... Não conseguiria deixá-la sozinha com sua tristeza. Então me aproximei. – Não se preocupe – falei, sem saber de onde saíam aquelas palavras. – Logo você será mais feliz do que nunca.

Ela ergueu os olhos para mim. Susan era baixinha, com pouco mais de um metro e meio de altura, tinha cabelo preto e olhos castanhos. Eu tenho mais de um metro e oitenta, pouco cabelo e olhos azuis. Éramos um caso de contrastes, sem dúvida um par estranho.

Susan limpou as lágrimas, mas elas não paravam de escorrer por seu rosto.

– O quê? – ela disse, não acreditando no que tinha ouvido.

E eu não acreditava no que tinha falado. De onde aquelas palavras malucas tinham saído?

Mas eu repeti:

– Você será mais feliz do que nunca.

Ela assentiu, como se compreendesse, de alguma forma. Eu me virei, para ir embora.

– Gosto de homens que fazem ioga – ela disse. – Isso demonstra flexibilidade.

Susan e eu começamos o nosso relacionamento sob premissas totalmente falsas. Ela achou que eu me interessava por ioga. Eu não tinha interesse algum. Não gostava de me esticar: fazia com que me sentisse ainda mais rígido. E eu era rígido em relação a várias coisas. Fisicamente. Mentalmente. Emocionalmente. Gostava de músicas antigas, de hábitos antigos. Até aquele instante, não tinha reclamações quanto ao meu passado. Susan não fazia idéia de como eu era de fato. Ao me conhecer na sala de ioga, ela achou que eu era uma pessoa flexível, sensível, que conseguia entender as questões mais profundas e positivas da vida. Como se eu fosse uma espécie de guru.

É engraçado como às vezes as pessoas podem se enganar tanto. Susan estava muito enganada a meu respeito, e eu estava muito enganado a respeito dela. Eu a tomara por uma pobre coitada, alguém que precisava de conforto e proteção. Porém, descobri mais tarde que ela era uma psiquiatra bem-sucedida, com muitos pacientes que a adoravam.

Pensei que ela precisava de mim.

Pensei que poderia ajudá-la.

Estávamos os dois redondamente enganados.

No entanto, houve uma atração imediata entre nós. Seria aquela poderosa química a prova de que os opostos se atraem?

Desde que eu fora demitido, estava sendo impossível fazer amor com minha mulher. Não que tentássemos com muita freqüência. Como tantas pessoas casadas, fazíamos amor muito raramente. Ainda assim, fiquei assustado quando falhara na minha última tentativa. Aquele fracasso físico combinava com meu recente fracasso profissional. Sempre considerei o sexo uma prazerosa libertação. Agora, era mais um sinal da minha decadência aparentemente irreversível.

Até conhecer Susan.

Apesar da atração, andei em direção à porta. Eu era inflexível e não tinha casos... Principalmente com pessoas que conhecia em academias.

– Você gostaria de tomar um café? – perguntou Susan gentilmente, enquanto eu saía. Quase não ouvi, ela falava baixinho.

Eu me surpreendi respondendo:

– Claro, vamos tomar um café.

Que mal podia haver em tomar um café? Porém, em vez da Starbucks, ela sugeriu que fôssemos para o seu apartamento. Eu fui – e fiquei vidrado. Depois disso, passei a encontrar Susan quase todas as manhãs, quando ela estava livre, o que significava duas ou três vezes por semana.

Susan não era tão jovem. Tinha uns 40 e poucos anos. Sua ginecologista tinha dito que ela não podia ter filhos. Então ela não viu sentido em se casar.

– Casamento é para ter filhos – disse. – Sexo é melhor sem o compromisso. Isso sem falar que você já é casado – ela observou, olhando para minha aliança para confirmar o fato.

Concordei, com uma considerável dose de culpa. Adorava o jeito como Susan me fazia sentir, mas queria o melhor de dois mundos. Amava minha mulher e queria que nossos quatro filhos vivessem num ambiente familiar estável.

Então, numa determinada manhã, Susan ligou para minha casa, coisa que ela nunca tinha feito antes.

– Preciso te ver.

– Quando? – Eram 7h30, eu não tinha nem tomado café.

– Agora.

Ela estava nua no seu apartamento; as cortinas abertas para o rio East. Era uma manhã de março, mas o sol refletia da água.

– Michael – sussurrou ela –, estou grávida. E Deus me disse que devo ter este bebê.

Meu coração parou. Aquilo não estava nos meus planos. Tinha perdido meu emprego e estava lutando para manter minha própria família. Não precisava de outro filho.

– O que você está pensando? – perguntou ela.

– A decisão é sua – falei.

– Diga-me.

– Não – respondi, levantando-me. Não iria dizer a ela que fizesse um aborto. Aquela talvez fosse sua única chance de ter um filho.

– É um milagre, Michael, mas preciso da sua ajuda.

– Estou falido.

Ela riu. Susan tivera a impressão errada: achava que, por me vestir bem e parecer bem de vida, eu era rico. Não tinha idéia de que, por trás da minha atitude de grã-fino, eu estava ficando cada vez mais pobre.

Eu tinha mantido meu relacionamento com Susan em segredo, mas, quando Jonathan nasceu, contei para a minha mulher. Ela não suportou.

– Um caso é uma coisa – falou ela. – Um filho é outra completamente diferente. – Não dá para mim – ela disse. – Não tenho estrutura para esse tipo de coisa.

Então, demos entrada num divórcio "amigável", embora ela estivesse furiosa comigo pela minha estupidez.

– Achei que passaríamos o resto das nossas vidas juntos – ela disse. Eu me senti um lixo.

Meus filhos, que a essa altura eram praticamente adultos, demonstraram maturidade e foram compreensivos, mas também ficaram magoados e com raiva. Dei nossa casa para Betsy, e o dinheiro da sua família era suficiente para ela ficar bem, mas eu sabia que a questão não era financeira. Eu tinha arruinado a vida dela.

E a minha também.

Arranjei um apartamento pequeno em Nova York. Querendo desesperadamente fazer a coisa certa, depois de ter feito tudo errado, resolvi tentar ser mais presente com Susan e meu novo filho, Jonathan. Eu aparecia sempre por volta das quatro ou cinco da manhã para ficar com ele, para que Susan pudesse dormir um pouco. Fazia aquilo por um sentimento de obrigação. Mas algo inesperado aconteceu. Fiquei cada vez mais ligado a Jonathan. E ele a mim. Assistíamos juntos ao dia amanhecer. Quando meus outros filhos eram pequenos, eu não tinha tempo de observá-los percebendo a maravilha de cada novo instante. Naquela época, eu trabalhava 12 horas por dia na JWT.

Agora estava tendo uma nova chance de ser pai – por vários motivos, uma oportunidade que eu não merecia. Adorava ver Jonathan crescer diante dos meus olhos; vê-lo balançar a mãozinha como se conduzisse uma orquestra, quando eu cantava uma canção de ninar, ou ouvi-lo rir com um prazer tão desinibido, quando eu jogava um bicho de pelúcia para o alto.

Um dia, quando estava colocando meu bebê adormecido de volta no berço, Jonathan abriu os olhos e sorriu para mim. Abriu a boca e produziu aqueles sons lindos: "Pa-pa." Duas sílabas simples, de cortar o coração. Pensar em como tinha perdido momentos tão mágicos com meus outros filhos me fez sentir uma dor física no peito. E por quê? Por uma empresa que recompensou minha lealdade com a demissão. Queria me sentar com cada um dos meus filhos e ensinar a eles: "Só se vive uma vez; vejam o meu caso. Vivam com sabedoria, pesem bem suas prioridades."

Eu passava cada vez menos tempo correndo atrás de novos clientes, e cada vez mais tempo com Jonathan. Ele me amava e precisava de mim. Aos olhos dele, eu era uma pessoa maravilhosa.

Jonathan parecia ser o único que se sentia assim naquela época. Susan foi aos poucos perdendo o interesse em mim. Primeiro para conversar: ela dizia que eu era um "chato", que não estava aberto a novas idéias. Depois, perdeu o interesse em mim como amante: dizia que eu "não saía da rotina". Curiosamente, quanto mais eu ficava disponível para ela – depois de ter me divorciado, estava com menos clientes e pouco trabalho para fazer, e mais tempo livre –, menor era a atração dela por mim. Ela me imaginara como um homem no topo da América, realizado, produtivo, bem-sucedido e feliz. Acabou me conhecendo como eu era: um garotinho inseguro com problemas em lidar com a realidade.

Jonathan era meu único fã e meu melhor amigo. Mas ele começou a passar os dias na escola, de modo que me vi com mais tempo, menos desculpas para não encontrar trabalho – e uma maior necessidade de um emprego, até por uma questão de pura sobrevivência. Que diabo, eu não estava dando nem um plano de saúde para o meu filho. Como eu tinha conseguido ser tão incompetente em todas as minhas relações profissionais e pessoais?

Tentei tirar a culpa e pensamentos negativos da cabeça e me concentrar em Crystal e naquela entrevista surpreendente. Por sorte minha ou por capricho dela, Crystal me dera uma chance – talvez a última – de interromper minha espiral descendente. Eu não queria estragá-la.

Ergui os olhos e tentei dar um sorriso confiante.

Ela não caiu naquilo. Crystal estava claramente dividida entre uma antipatia pessoal por mim e seu comprometimento com o profissionalismo. Sua loja estava precisando desesperadamente de novos funcionários. E eu estava desesperado por um emprego. Convença-a, disse a mim mesmo. Convença-a de que esta é uma combinação perfeita. Eu me obriguei a pensar positivo.

– Agora eu gostaria de fazer algumas perguntas sobre sua experiência profissional – disse Crystal, num tom de voz frio e formal.

De repente, fiquei muito preocupado. Depois de descobrir os benefícios de saúde que a Starbucks oferecia, eu queria de verdade aquele emprego. Seria Crystal outra jovem como Linda White, que acabaria me botando no olho da rua? Não me importava, desde que ela me contratasse primeiro.

– Você já trabalhou como varejista?

Aquela pergunta me pegou de surpresa.

Tentei desesperadamente pensar... Rápido, o que é "varejista"?

– Tipo num Wal-Mart – ela ajudou. Percebi, pela primeira vez na entrevista, que Crystal poderia passar para o meu lado. Tudo aquilo tinha começado como uma piada ou uma aposta para ela, mas talvez, talvez, ela tivesse passado a me ver como alguém que precisava mesmo de ajuda.

De repente, tive a noção de como uma vida de privilégios me protegera da realidade que qualquer pessoa comum conhecia tão bem. Talvez Crystal pudesse me ajudar a cair na real, mas eu nem conseguia agarrar o bote salva-vidas que ela estava me atirando naquela entrevista de emprego: eu nunca tinha entrado num Wal-Mart na vida.

Crystal fez um pequeno tique no seu papel e foi em frente. Eu estava muito nervoso. Aquilo não estava dando certo.

– Já lidou com clientes em situações difíceis? – Crystal leu a pergunta no formulário e levantou a cabeça para mim. Mas seus olhos estavam mais ternos; ela parecia estar me incentivando a responder aquela corretamente.

Eu ainda estava confuso. Era difícil falar com o presidente da Ford? Sim, mas não era isso que me ajudaria a conseguir aquele emprego. Lembrei que tinha feito uma campanha para o Burger King e trabalhado na loja durante uma manhã, para saber como era.

– Eu trabalhei no Burger King – falei.

– Ótimo – disse ela. – E como você lidava com um cliente quando havia problemas?

– Ouvia com muita atenção o que ele estava falando, então tentava consertar o que estava errado e perguntava se havia alguma outra coisa que pudesse fazer para ajudar. – Despejei uma conversa fiada de algum folheto perdido que escrevera sobre como lidar com situações difíceis.

Crystal voltou a sorrir e ticou o papel.

– Já trabalhou sob pressão com muitas pessoas? – perguntou ela.

– Sim – falei vagamente. Trabalhar até tarde numa campanha publicitária para a Christian Dior era diferente de servir cafés para centenas de pessoas a caminho do trabalho.

Crystal ticou a lista.

– O que você sabe sobre a Starbucks? Já esteve em nossas lojas?

Estava indo bem. Durante as semanas e meses que passei procurando trabalho, estive em várias Starbucks de Nova York. Aproveitei a chance de mostrar meu conhecimento.

– As lojas da Starbucks na Central Station estão sempre cheias, e nenhuma delas tem lugar para sentar, mas a loja da Quinta Avenida com a Rua 45 é muito confortável; a que fica na esquina da Park Avenue tem uma ótima vista e...

– O.k., Mike – ela disse, me cortando. – Já entendi. – Ela sorriu. – Já que você parece ser um fã, acho que vai gostar da próxima pergunta. Qual é sua bebida favorita?

Novamente, eu poderia mostrar um entusiasmo genuíno. Adorava café de várias formas, e a Starbucks era meu lugar favorito para tomá-lo.

– Qual a diferença entre um Latte e um cappuccino? – perguntou Crystal.

Aquela eu não sabia. Gostava dos dois, mas não sabia a diferença.

– Não sei... O cappuccino tem menos leite, ou algo assim?

– Você vai aprender – ela disse, marcando meu formulário mais uma vez, mas considerei aquela resposta positiva. O simples fato de ela ter dito "você vai aprender" já me dava confiança. Eu tinha quase desistido da idéia de que pudesse aprender alguma coisa nova, ou de que alguém investiria seu tempo em me ajudar a aprender um novo ofício.

Crystal se levantou. A entrevista tinha terminado. Eu também me levantei, quase derrubando meu copo de tão ansioso. Trocamos um aperto de mãos.

– Obrigado, Crystal – falei, sentindo-me mais grato do que nunca na vida. Ela deve ter notado a gratidão sincera em minhas palavras.

Ela riu. Era óbvio que estava achando a maior graça daquela situação. E de mim. Independentemente do motivo, Crystal parecia muito mais relaxada comigo agora.

Mas então ela ficou séria novamente.

– Este não é um trabalho fácil, Mike.

– Eu sei. Mas vou trabalhar duro. Isso eu prometo.

Ela sorriu, e talvez houvesse um pouquinho de orgulho naquele sorriso. Oito anos antes, quando ela estava nas ruas, jamais teria imaginado que, no futuro, um sujeito da elite branca, o manda-chuva em pessoa, vestido com um terno de 2 mil dólares, viria lhe pedir um emprego.

– Ligarei para você daqui a alguns dias com a resposta, Mike – ela disse.

2

CHOQUE DE REALIDADE

"Imagine se fôssemos todos iguais. Imagine se concordássemos sobre política, religião e questões éticas. Imagine se gostássemos dos mesmos tipos de música, arte, comida e café. Não seria uma chatice? As diferenças não precisam nos separar. Aceite a diversidade. Todos os seres humanos têm direito a uma vida digna."
– frase de Bill Brummel, documentarista, impressa no copo de um Grande Cappuccino Descafeinado da Starbucks

ABRIL

Várias semanas de agonia se passaram, e não tive notícias de Crystal. Conscientemente ou não, eu passava o tempo inteiro aguardando com ansiedade o seu telefonema. Continuei freqüentando a Starbucks da Rua 78 com a Lexington, onde nos conhecemos, esperando encontrá-la. Mas ela nunca estava lá.

Também continuei ligando para clientes em potencial do meu negócio de marketing, mas minha caixa de mensagens continuava vazia. Eu precisava mais do que nunca de um emprego, qualquer um. Quando conheci Crystal, não levei muito a sério a idéia de trabalhar na Starbucks. Mas, ao longo daquelas últimas semanas, sem nenhuma outra opção surgindo para me dar esperanças, percebi que a Starbucks tinha me oferecido uma maneira – talvez a única – de arcar com os custos da minha futura operação e ainda sustentar meu filho mais novo.

Eu estava me deparando com a realidade de literalmente não ser capaz de me sustentar na minha velhice. Tinha deixado nosso casarão para minha ex-mulher, estava chegando ao fim das minhas últimas economias e me via, finalmente, diante da possibilidade de não conseguir pagar o próximo aluguel. Meu desespero era ainda maior do que poucas semanas antes. Sempre que meu telefone tocava, eu me surpreendia quase rezando para que fosse Crystal.

Enquanto ficava sentado, torcendo para o telefone tocar, pensei nas seleções de elenco para comerciais de TV que havia criado nas últimas décadas. Eu não hesitava em eliminar as pessoas por qualquer pequena imperfeição. Se o sorriso de um ator era brilhante demais, ou de menos, se uma moça tinha o sotaque errado, eles eram dispensados. Quando ficava encarregado das contratações, escolhia pessoas como eu, com origem semelhante à minha. Então, à medida que os dias passavam e Crystal não me telefonava, eu tinha a sensação desanimadora de que talvez ela agisse da mesma forma: pegue o caminho mais fácil, fuja de qualquer coisa diferente.

Diversidade é uma palavra na moda hoje em dia. Mas eu conhecia pouca gente que tivesse realmente escapado das suas respectivas classes ou origens – sobretudo ao contratar pessoas para trabalhar com elas diariamente. No mundo empresarial americano, a diversidade era uma meta abstrata, sobre a qual todos sabiam falar, mas que poucos praticavam de fato.

Minha única esperança era que Crystal precisasse muito de novos funcionários – ou fosse corajosa o bastante – para me dar uma chance. Não era irônico que estivesse torcendo que Crystal fosse mais misericordiosa do que eu?

Tentei parar de pensar naquilo. Então, numa bela manhã, quando estava na estação do metrô, meu celular tocou.

– Mike?

– Sim? – respondi, um pouco ressabiado. A pessoa do outro lado da linha não parecia ser ninguém que eu conhecesse.

– É a Crystal.

Saí imediatamente da defensiva.

– Ah, oi! – eu disse, empolgado. – Que bom que você ligou!

– Você ainda quer um emprego... – ela fez uma pausa e prosseguiu com frieza –, trabalhando para mim? – Era como se ela quisesse ouvir uma resposta negativa para continuar tocando seu dia. Imaginei que ela estivesse repassando uma lista de candidatos ao emprego. E que teria mais facilidade de se imaginar trabalhando com a maioria das outras pessoas da lista do que comigo.

– Sim, quero trabalhar com você – quase gritei ao celular. – Estou ansioso para trabalhar com você e sua ótima equipe.

Acalme-se, Mike, disse a mim mesmo. Não exagere no entusiasmo. E por que falei "equipe"? Crystal tinha falado em "parceiros". Eu sabia que cada empresa tinha um vocabulário próprio que era importante reproduzir se você quisesse ser bem tratado. E eu já estava louco para me enquadrar. Vá com calma, falei para mim mesmo, ou vai estragar essa última chance.

Não pareceu fazer diferença – Crystal não parecia estar prestando atenção. Sabe quando você está falando com alguém ao telefone e nota que a pessoa está fingindo ouvir enquanto faz alguma coisa que acha mais importante? Foi assim que me senti naquele dia, com Crystal. Para mim, aquela ligação era de extrema importância. Para ela, era só mais uma coisa a fazer num dia agitado.

O jeito casual como ela me ofereceu o emprego era humilhante.

– O.k. – ela disse. – Apareça amanhã na minha loja, na Rua 93 com a Broadway, às 15h30.

– Rua 93 com Broadway? – repeti, surpreso com o endereço.

– Sim. – Ela parecia estar explicando para uma criança de 3 anos. – Rua 93... com... a Broadway, e não se atrase.

Fiquei confuso.

– Mas nós nos conhecemos na 78 com a Lexington.

– E daí? – Ela soava quase hostil. – Nos conhecemos lá porque estávamos fazendo uma Festa de Contratação. É assim que a gente faz na Starbucks.

Crystal assumira um tom de voz que eu conhecia muito bem. Eu já tinha usado aquela atitude empresarial dura, quando queria me livrar de pessoas com as quais não queria conversa.

– Na Starbucks – ela prosseguiu –, escolhemos uma loja, fazemos um evento, e os gerentes que precisam de pessoal fazem as entrevistas. Mas isso não significa que aquela vai ser a loja em que você vai trabalhar. Eu sou a gerente da loja da 93 com a Broadway. – Ela fez uma pausa. – Algum problema?

Novamente, aquele tom hostil. Sim ou não? Ela precisava ligar para outras pessoas e queria terminar logo aquele telefonema. Dava para perceber que não estava gostando de oferecer aquela vaga.

– Tudo bem – me apressei em tranqüilizá-la. – Estarei aí amanhã, pontualmente.

Eu soava – até aos meus próprios ouvidos – como um velho falando como um colegial. Que vergonha!

– Se quiser trabalhar, venha com calças pretas, sapatos pretos e camisa branca, o.k.?

– O.k. – respondi.

Ela desligou sem nem ao menos se despedir. Droga! Como aquela ligação me deixou deprimido. Nas últimas semanas, para evitar que a depressão me sufocasse à medida que a realidade da minha vida ficava clara para mim, eu me agarrara às esperanças mais pífias – qualquer sinal de que pudesse ter uma chance de conter minha queda rápida para o fundo do poço. A possibilidade de trabalhar na Starbucks era humilhante, mas eu dizia a mim mesmo que pelo menos trabalharia no bairro em que cresci. Um bom bairro. Um local que me ajudaria na minha transição de membro da classe dominante para membro da classe trabalhadora. Na minha óbvia e inegável queda das alturas sociais e financeiras, seria confortável estar na Rua 78.

Nunca tinha ido à 93 com Broadway. Minha política em Nova York era nunca ir além da Rua 90. E lá estava eu, indo trabalhar no Harlem, que eu imaginava ser um bairro muito perigoso.

Eu também não gostava da atitude de Crystal comigo. Ela agia como se eu fosse algum tipo de panaca. Via como estava sendo injusta. Então lembrei com remorso como eu tinha tratado uma jovem negra que trabalhara para mim na JWT, com o mesmíssimo desdém. Jennifer Walsh fazia parte do grande esforço que fizemos na década de 1970 para contratar minorias. Foi nossa incursão – breve, por sinal – no terreno da diversidade.

Pelo simples fato de ela fazer parte daquele programa, eu desconfiava de Jennifer. Fui escalado para ser seu mentor. Até aquele momento na estação do metrô, depois de falar com Crystal, eu nunca soube o que é ser desrespeitado por causa de uma origem diferente. Percebi, com um aperto no coração, como eu tinha sido preconceituoso nas minhas atitudes na JWT com qualquer pessoa diferente. Na agência, apreciávamos o fato de que a maioria de nós tinha freqüentado as melhores universidades, porque nos achávamos a elite do ramo publicitário. Todos encarávamos a idéia de contratar pessoas que não vinham da nata do ensino superior como uma queda no status do nosso clube – o que incluía muitos dos contemplados pela política de contratação de minorias.

Jennifer era boa, mas seu diploma era de um curso profissionalizante qualquer, de dois anos de duração, e nunca levei a carreira dela na JWT a sério. Pedi que ficasse lendo anúncios por semanas a fio, sem nem ao menos lhe dar a chance de tentar escrever um. Finalmente disse a ela que escrevesse um anúncio de jornal para a Ford. Seria o primeiro que faria na vida.

Jennifer entrou no meu escritório. Estava claramente assustada, paralisada até, quando se aproximou da minha mesa. Isso já me fez achar que ela não servia para a JWT: precisávamos transmitir confiança aos nossos clientes. Culpei Jennifer por estar insegura naquela situação nova. Quando li seu esboço de artigo, notei que ela havia copiado um parágrafo inteiro de outro anúncio da Ford, que eu lhe dera para ler. Aquela era uma forma de plágio que nós odiávamos na JWT. Nós não tolerávamos alguém que copiasse o trabalho de outra pessoa. Jennifer tinha cometido um pecado corporativo imperdoável. Pelo menos a meu ver.

Hoje percebo que ela talvez não soubesse que aquilo era contra a política da empresa, e eu certamente não deixara isso claro. Literalmente não pensei duas vezes sobre sua falha. Seu erro bobo me deu o motivo de que eu precisava. Fui até a administração e disse que Jennifer talvez desse uma ótima secretária, mas não tinha "o necessário" para dominar a arte superior da propaganda. Eu não tinha tempo para ela, ou para a idéia de diversidade.

Percebi com certo horror, enquanto me recuperava do descaso com que Crystal lidava com uma oportunidade de emprego que significava tanto para mim, como eu havia sido cruel ao "ajudar" Jennifer. Eu me comportara como um membro hipócrita de um clubinho exclusivo, sentindo orgulho de mim mesmo por minha crença no avanço das minorias em termos abstratos, enquanto fazia todo o possível no mundo prático do mercado de trabalho – que eu controlava – para tornar tal oportunidade impossível. Eu tinha, consciente ou inconscientemente, sabotado a tentativa de Jennifer de entrar no meu mundinho, só porque ela era negra e não tinha o nível de instrução ou a experiência que eu achava importantes.

Jennifer acabou sendo transferida para algum trabalho de escritório no departamento de RH e desde então desaparecera da minha cabeça – até aquele instante. Eu me senti muito mal. Imaginei que Crystal estava pensando que eu era um velho branco idiota, para quem ela caíra na asneira de oferecer um trabalho. Ela deveria achar que eu não me encaixaria no seu mundo e tampouco seria uma boa escolha para suas necessidades – a mesma coisa que eu tinha pensado sobre aquela jovem negra, décadas atrás.

Percebi naquele instante, com uma clareza dolorosa, como eu tinha errado. Senti uma dor real no coração naquela hora, ao reconhecer com remorso minha pretensão arrogante de que Deus tinha criado a mim e aos meus semelhantes para o poder, porque o merecíamos mais do que as pessoas de outras raças. Agora, finalmente, eu estava "entendendo", à medida que encarava uma nova realidade e via como aquele mundo poderia ser para quem não tem privilégios herdados.

Mas será que aquela consciência, conquistada a duras penas, tinha chegado tarde demais para mudar o meu destino?

Talvez exista mesmo carma ruim, pensei com meus botões. Eu certamente o merecia. Mas não estava disposto a recusar a oferta de Crystal – independentemente da sua atitude.

Acordei cedo na manhã seguinte e percebi, assustado, que faltavam apenas semanas para meu 64º aniversário. Enquanto eu lutava para entrar nas minhas calças pretas para o meu emprego na Starbucks, balancei a cabeça, recusando-me a crer que provavelmente comemoraria meu aniversário trabalhando como um humilde atendente servindo café.

Eu não sabia se ria ou se chorava pela minha insegurança, enquanto saía do meu apartamento barato no subúrbio e pegava o metrô para a Central Station. Em seguida, corri o mais rápido que pude em meio à multidão para fazer a baldeação até Times Square. Embora outro trem fosse chegar dentro de poucos minutos, disparei em direção ao que estava lá como se aquela fosse a minha última chance de chegar a algum lugar naquele dia. Eu não conseguia acreditar na rapidez com que aquela multidão se movia – parecia que estávamos numa corrida olímpica de 100 metros rasos. Por que tanta pressa? Fazia anos que eu não pegava condução para o trabalho; na minha época, eu teria ido de táxi ou utilizado um carro da empresa, enquanto galgava a hierarquia privilegiada da JWT. Nunca fui o tipo de pessoa que anda de metrô. Mas, naquele instante, eu não tinha tempo para duvidar da racionalidade daquela pressa toda – e corri, como todo mundo.

Na Times Square, saí do trem lotado para outro, que ia até a Rua 96. Espremendo-me para entrar antes que a porta se fechasse, eu me vi novamente imprensado entre pessoas que eu jamais me interessaria em conhecer, forçado a uma espécie de proximidade física primitiva. Todos os rostos eram hostis. Como cheguei a este ponto na minha vida?, pensei com meus botões. Logo, as portas se abriram e fui empurrado para a plataforma suja. Subi as escadas íngremes até a Rua 93 com o coração disparando no peito, e já começando a suar, embora fosse um dia frio de início de abril.

Ao sair do metrô, lutei contra o vento e cheguei mesmo a cambalear, enquanto caminhava até a loja da Starbucks na esquina da Broadway. A chuva gelada deixava a calçada escorregadia. Parei. Chegando lá, não senti a menor pressa de abrir a porta.

Olhando para a placa da Starbucks, a realidade da minha situação me atingiu com um impacto nauseante. Senti-me entorpecido, parado numa calçada gelada na parte errada da cidade. Meu sonho de me juntar novamente a uma grande companhia internacional para ficar rico, com a vida sob controle e novamente feliz se transformara num pesadelo humilhante.

Sim, eu iria me juntar a uma grande companhia internacional, mas, na verdade, em uma mera função de garçom, mas com um nome metido a besta. Eu passaria pela óbvia humilhação pública de ser Michael Gates Gill vestido como garçom e servindo bebidas para pessoas que poderiam ter sido amigas ou clientes minhas. Era como antigamente, quando expunham os pecadores em praça pública como exemplo, para que as outras pessoas se comportassem bem.

O pastor Jonathan Edwards disse uma vez: "Estamos todos suspensos por um fio das mãos de um Deus furioso." Talvez existisse um Deus puritano furioso, que decidira me punir por todos os meus pecados. Pensando em cada minuto dos meus últimos anos, eu sentia o peso da culpa por ter ferido tantas pessoas que amei: minha ex-mulher, meus filhos e até os poucos amigos que ainda tinha. Sim, pensei com meus botões, talvez houvesse mesmo um Deus vingativo, ao qual eu ofendera.

Mas a realidade era mais concreta e triste. Eu não podia fingir que estava vivendo uma espécie de episódio bíblico mítico. Eu não era um Jó moderno. E precisava encarar o fato brutal de que estava ali por conta da minha própria imprudência financeira e do impulso sexual que me desencaminhara. Eu não era uma pessoa escolhida para ser injustiçada por Deus. Eu não era nem mesmo – e isto era extremamente doloroso de admitir – alguém especial. E era duro, muito duro para mim, abrir mão da idéia de que eu ocupava um lugar especial no universo.

Eu tinha que encarar a realidade: aquilo pelo que eu estava passando como um cara velho demais para encontrar trabalho era uma situação comum para milhões de americanos idosos, que não tinham como se sustentar e já não eram necessários para as grandes corporações. Foi nesse estado entorpecido de aflição, conflito emocional e humildade forçada que abri a porta da loja da Starbucks.

Lá dentro, tudo era calor, barulho e uma espécie de caos ligeiramente organizado. Uma fila de clientes chegava quase até à porta. Mães com bebês no colo e em carrinhos. Homens de negócio conferindo seus celulares. Estudantes carregando mochilas. Universitários com seus computadores. Todos aguardando com impaciência seus pedidos.

Ao olhar para os funcionários que serviam as bebidas do outro lado do balcão, um dos meus medos foi confirmado: quase todos os *parceiros* eram negros. Não havia, claramente, diversidade nenhuma. Isto não foi uma surpresa total para mim, pois tinha notado, ao visitar várias filiais da Starbucks, depois da entrevista com Crystal, que pouquíssimas pessoas brancas trabalhavam nas lojas.

Pela primeira vez na vida, soube que seria um membro muito visível de uma verdadeira minoria. Estaria trabalhando com pessoas de origem, educação, idade e raça completamente diferentes das minhas.

E também estava claro, pelo que acontecia na loja, que eu trabalharia muito. Três parceiros esmurravam incansavelmente as caixas registradoras, pegando o dinheiro e pedindo depressa e alto as bebidas para o *espresso bar*. A pessoa no balcão gritava de volta o nome das bebidas enquanto as preparava com rapidez e habilidade, fazendo malabarismos com canecas de leite quente enquanto servia doses de *espresso*. Em ritmo acelerado, eles então serviam os clientes com um enfático "Aproveite!" que era quase um grito enlouquecido. Os clientes, por sua vez, pegavam seus pedidos com sofreguidão.

Aquele negócio de café não era tranqüilo para ninguém – em nenhum dos lados do balcão. A coisa se dava num ritmo frenético, com grande estardalhaço, como se fosse uma corrida contra o tempo. Nunca fui bom em esportes, e aquela loja tinha uma atmosfera atlética de gente trabalhando com a adrenalina no máximo. Com todos aqueles pedidos sendo feitos e gritados de volta, parecia que eu estava fazendo um teste para uma ópera italiana.

De repente, fiquei muito preocupado. Não só por questões de raça, classe ou idade. Minha preocupação passou a ser mais básica. Tinha pensado, a princípio, que um emprego na Starbucks estaria aquém da minha capacidade. Porém, naquela hora, percebi que talvez ele estivesse além. Aquele trabalho poderia ser um verdadeiro desafio para mim – mental, emocional e fisicamente.

Nunca fui bom em lidar com dinheiro – este, aliás, era o principal motivo que me levava a precisar tanto de um emprego. Matemática era uma matéria que eu nunca consegui dominar na escola. Tinha lembranças claras de vários professores de matemática dizendo "mas isso é tão fácil", enquanto resolviam alguma equação no quadro-negro. A superioridade deles me fazia odiá-los. Até as adições e subtrações mais simples eram difíceis para mim. Então, naquele momento, a realidade de todo aquele dinheiro trocando de mãos tão depressa nas registradoras da Starbucks me deixou apavorado.

Ouvia mal de um ouvido por causa do tumor no cérebro. Escutar pedidos complicados poderia ser um grande problema para mim. Também me assustava a idéia de precisar compreender pedidos complexos e gritá-los corretamente numa fração de segundo. Línguas nunca tinham sido meu forte. Meu professor de francês em Yale me disse: "Vou aprovar você com uma condição: nunca mais castigue o ouvido de ninguém com seu sotaque, nesta universidade." No entanto, esperava-se claramente que eu dominasse a língua exótica do dialeto Starbucks.

Naquele primeiro instante, percebi, humilhado, que meu novo emprego talvez fosse um teste pelo qual eu poderia tranqüilamente não passar. Tinha vestido as calças pretas com a camisa branca, sem gravata. Estava me sentindo sozinho e com medo. Então, Crystal apareceu na minha frente como um redemoinho de energia positiva.

– Vamos tomar um café – ela disse, me levando até uma mesinha no canto. – Sente-se aqui, vou trazer uma amostra para você.

Talvez aquela fosse apenas a faceta pública, profissional, de Crystal, mas me senti grato. Ela parecia muito mais amigável do que ao telefone. Talvez, pensei, não odiasse a si mesma, ou a mim, por correr aquele risco de me contratar.

Sentado num canto com Crystal, beberiquei um delicioso copo de café Sumatra.

– Este é um café conhecido pelo seu sabor "terroso"... Mas eu chamo de sujo, mesmo – disse Crystal, e nós dois rimos. Naquele dia, ela estava com o cabelo preso sob um boné da Starbucks, o que a deixava com uma aparência muito sofisticada, glamourosa até. Dois brincos de diamantes refletiam a luz ambiente.

Talvez fosse o café – mais provavelmente, a habilidade de Crystal em me fazer relaxar –, mas o fato é que eu já estava me sentindo muito melhor. Mas ainda estava bem longe de estar à vontade.

Do nada, tive uma visão repentina de mim mesmo num passado muito distante, deliciando-me na companhia aconchegante da família e de amigos na enseada de um lago, em Connecticut. Naquele instante, aquela imagem de mim mesmo rindo e relaxando com tanto conforto sob o calor do sol parecia vir de muitas vidas atrás. O lago em que cresci era protegido por uma floresta particular. Ela mantinha afastada a realidade de um mundo mais duro e me cercava de diversão e privilégios.

Lembro-me de, ainda menino, jogar maçãs no poeta Ezra Pound. Jay Laughlin, o editor de Pound, era o proprietário do terreno vizinho e um dia levou-o até o lago. Pound ficou sentado como uma estátua, na beira da água. Num determinado momento, enrolou as pernas da calça e balançou suas pernas brancas na água, sem falar nada. Suas pernas pareciam a barriga branca de um sapo. Eu e meus primos mais novos fomos atiçados por aquela altivez. Pegamos as maçãs que estávamos comendo e começamos a atirá-las nele; erramos o alvo, mas conseguimos fazer a água espirrar nas suas roupas escuras e estranhas.

Ezra Pound não se mexeu nem falou nada. Meu pai riu e nos incentivou. Papai tinha escrito um livro chamado *Aqui na New Yorker*, sobre os anos que passara na revista *The New Yorker*. No começo do livro, ele expunha sua filosofia: "A primeira regra da vida é se divertir. Não existe uma segunda." Diversão, para o meu pai, era desafiar as convenções. Como ele não morria de amores pelas idéias políticas de Pound, que aderiu ao fascismo, gostou da cena.

Meu pai conquistou seu lugar naquele lago ao entrar para a família da minha mãe, que passava férias lá havia 100 anos. Ele trouxe dinheiro novo, ganhado pelo seu próprio pai, um imigrante irlandês, para aquela família de descendentes dos pioneiros. Isso criou uma mistura explosiva entre o delicado refinamento da elite branca e protestante e o estilo rebelde e provocativo do meu pai. Com uma espécie de displicência arrogante, meu pai gastou com um sorriso no rosto todo o dinheiro que o pai dele tinha trabalhado exaustivamente para ganhar.

"É melhor gastar seu dinheiro enquanto estiver vivo", dizia meu pai, com os olhos brilhando com um tipo de entusiasmo extravagante. Ele parecia zombar da fortuna do próprio pai, conquistada a duras penas, e daqueles ianques pães-duros que contavam cada centavo.

Papai adorava falar, adorava escrever e adorava, acima de tudo, ser o centro das atenções nas festas.

"É nas festas que tudo acontece", ele dizia. Então havia sempre uma festa na nossa enseada, naquele lago particular.

Meu pai era tão perdulário com seu tempo quanto o era com seus vários talentos. Ele se dedicava tanto a tantas pessoas que nunca tinha tempo o suficiente em casa para mim, para uma conversa particular, de pai para filho. Depois que cresci e saí de casa, ele me convidava para as suas festas, e estas eram as únicas ocasiões em que nos víamos. Quando ele morreu, a minha vontade de freqüentar festas morreu junto.

E lá estava eu, bebendo café com Crystal – a anos-luz de distância das festas de verão naquele lago particular. Mas, enquanto eu ria com ela, meu coração ficava um pouco mais leve, e meu ânimo melhorou um pouco. Aquela realidade me surpreendia. Talvez fosse a cafeína naquele café forte. Mas eu precisava admitir que começava a me sentir tranqüilo naquela situação completamente nova – começar um emprego novo tomando um café num bar agitado. Era tudo tão bizarro e diferente como se eu estivesse em *Alice através do espelho*: Michael Gates Gill mudando de bairro e de classe social – e percebendo que, no fim das contas, aquilo não era tão assustador. Eu estava abandonando meu antigo *status quo* mas, como resultado direto, me sentia melhor do que vinha me sentindo há dias. Ou semanas. Ou meses.

Era loucura... Mas talvez, eu esperava, houvesse algum método naquela loucura.

A voz de Crystal interrompeu meus devaneios.

– Mike, é importante que você aprenda a diferença entre os cafés.

Eu não podia mais me dar ao luxo de perder tempo com filosofices egocêntricas. O gongo tinha soado. Eu estava no ringue. Era hora de me dedicar a tarefas meticulosas, e não a reflexões profundas. Atender aos pedidos dos clientes era meu novo trabalho. Precisava parar de gastar tanto tempo pensando no passado e no que eu tinha perdido. Acompanhar o ritmo do presente já seria um grande desafio.

Eu estava prestes a descobrir que o importante, na Starbucks, não era eu – o importante era servir às outras pessoas.

Com uma expressão séria no rosto, Crystal começou a dar uma aula, como se eu fosse um estudante interessadíssimo da tradição do café:

– O café Sumatra vem da Indonésia; os holandeses o trouxeram de lá 300 anos atrás, e ele faz parte de toda uma categoria de cafés que nós chamamos de "fortes".

Lá estava aquele "nós" novamente, notei, pensando em Linda White e no "nós" que usou para me demitir. Crystal poderia fazer o mesmo.

– É assim que damos as boas-vindas a todos os novos parceiros – explicou Crystal, inclinando-se para a frente na minha direção, como se fosse revelar um grande segredo pessoal. – Nosso negócio é café. Nosso nome é *Starbucks Coffee.* Então damos as boas-vindas a todos os novos parceiros com uma amostra de café e histórias sobre ele.

Crystal se recostou na cadeira com um sorriso, e eu sorri de volta para ela. Seu rosto parecia cheio de alegria. Até seus olhos castanhos, que podiam ser tão frios, pareciam brilhar com uma espécie de interesse bem-humorado. Ficou claro para mim que ela era uma pessoa inteligente e apaixonada. Pelo menos no que dizia respeito a café. E eu sentia que talvez – e apenas talvez – Crystal me desse mesmo uma chance de provar o meu valor.

Enquanto provava a bebida saborosa que era o café Sumatra, comecei a achar que podia dar conta daquela parte do trabalho na Starbucks. Eu adorava café e adorava aprender sobre as origens das coisas. Olhei para os parceiros atrás do balcão, todos trabalhando duro, mas dando a impressão de estarem adorando. Embora fossem todos muito jovens, e não houvesse um só rosto branco no grupo, talvez eu pudesse fazer parte, como o café que estava tomando, da categoria dos "fortes".

Então a porta da loja se abriu. Entrou um negro carrancudo, com bem mais de um metro e oitenta e músculos salientes debaixo de uma blusa preta. Ele usava uma bandana amarrada em volta da cabeça que o fazia parecer um pirata moderno. Tinha bigode e uns pêlos esquisitos saindo do queixo. Era o tipo de pessoa que, no passado, me faria atravessar a rua, para evitar contato.

Crystal o chamou:

– Ei, Kester, venha conhecer o Mike.

Kester veio andando lentamente até nossa mesa. Notei um machucado na testa dele. Ele estendeu sua mão grande.

– Olá, Mike – disse ele com uma voz grave. E então sorriu. Aquele sorriso transformou completamente seu rosto. Imediatamente, me senti bem-vindo. Na verdade, ele me pareceu muito mais simpático do que Crystal. Por quê? Será que Kester tinha mais segurança de que eu não representava perigo algum para ele? Velhotes branquelos certamente não o intimidavam.

– Kester, onde você arranjou isso? – disse Crystal, apontando para a testa dele.

– No futebol.

– Futebol?

– É, uns amigos meus me convenceram a jogar... E me acharam muito bom. Um talento natural. – Kester riu ao falar aquilo.

Porém, Crystal logo voltou ao assunto em pauta. Seu rosto assumiu o que eu estava começando a reconhecer como sua expressão dura, profissional. Tive a impressão de que Crystal gostava de estar sempre no controle.

– Mike é um novo parceiro – ela explicou para Kester – e eu estava pensando se você poderia me fazer um favor... Gostaria de ser o instrutor dele?

Eu ainda ia aprender que ninguém na Starbucks mandava outra pessoa fazer algo. Era sempre "Você poderia me fazer um favor?" ou algo do gênero.

– Claro – respondeu Kester. – Vou me trocar e já volto.

Depois que ele saiu, Crystal me contou, inclinando-se para a frente, daquele seu jeito sigiloso.

– Antes de vir trabalhar aqui, Kester nunca sorria. Ele era líder de uma gangue de... – Ela parou, parecendo notar que estava me contando demais. Então se recostou, ajeitando o cabelo. Seu humor mudava bastante. Confidente. Sigilosa. Alegre. Profissional. Desconfiada. Naquele instante, tinha voltado ao último estado.

Kester voltou, vestindo um avental verde e um boné preto da Starbucks, mas ainda parecendo bem intimidador... Até sorrir. Crystal se levantou e lhe cedeu o lugar.

– Vou trazer mais café para vocês dois.

Crystal voltou com uma xícara de Verona para cada um de nós e alguns brownies. Fiquei surpreso com o entusiasmo com que ela nos serviu. Eu nunca tinha servido nada para um subordinado em todos os meus anos de vida empresarial. Mas Crystal parecia estar gostando de verdade daquilo. Aparentemente, ela e a Starbucks tinham virado a hierarquia corporativa tradicional de cabeça para baixo.

Ela começou a descrever detalhadamente o Verona, explicando que era um *blend* de "intensidade média" de cafés latino-americanos, que combinava perfeitamente com chocolate.

– Mas, por outro lado – explicou Crystal, abrindo um largo sorriso –, todos os cafés vão bem com chocolate; são primos em primeiro grau. Você vai adorar o gosto do Verona com esse brownie de *espresso*.

Ela nos deixou saboreando nosso café com brownies. Era como se fôssemos visitas na sua casa. Aquela certamente era uma experiência totalmente diferente da que eu tinha esperado. E Crystal tinha razão: o café Verona combinava deliciosamente com os brownies de *espresso*. Então ela nos trouxe um café colombiano com uma fatia de bolo.

– Este faz parte da categoria "suave" – disse ela. – Consegue sentir a diferença?

– Com certeza parece mais leve do que o Sumatra.

– Exato, mais leve é uma boa expressão, Mike – ela disse, como uma professora elogiando um aluno aplicado. – Não se preocupe, você vai aprender tudo sobre os vários tipos de café aqui. Por sinal, vai ser pago pelo tempo que passou bebendo café e comendo bolo com Kester. Nada mau para o seu primeiro dia no emprego!

Crystal me deixou com Kester. Embora tivesse parecido bastante relaxada, percebi que talvez aquilo fosse apenas parte do seu estilo gerencial. Provavelmente, estava apenas tentando deixar um "novo parceiro" – eu – à vontade. Percebi que Crystal era difícil de interpretar, e que eu levaria muito tempo para conhecê-la de verdade. Ela não se enquadrava em nenhuma das minhas categorias preestabelecidas.

Dez anos atrás, eu jamais me imaginaria tão apavorado, tão disposto e desesperado para conquistar a aprovação daquela jovem.

Dez anos atrás, eu jamais me imaginaria comendo brownies de *espresso*, bolo e tomando cafezinhos com alguém fisicamente tão intimidador quanto Kester.

– O esquema é o seguinte – disse Kester num tom casual. – Nós chamamos isso de treinamento colaborativo. Significa apenas que fazemos as coisas juntos. Eu aprendo ajudando você a aprender. – Ele colocou meu copo sobre o dele e se levantou.

– O.k., agora que você já tomou o seu café, vou lhe mostrar como ele é feito.

Eu o segui para trás do balcão.

Mais tarde, descobri que Kester era o melhor "fechador" da Starbucks. Fechar a loja tarde da noite é um dos maiores desafios administrativos, pois você fica responsável por somar todo o dinheiro das máquinas registradoras e se certificar de que tudo está perfeitamente organizado para o dia seguinte. Kester fazia questão de sempre fazer tudo de forma pontual e correta.

Eu não sabia de nada disso no meu primeiro dia no emprego. Também não sabia que, na calada de uma noite, meses mais tarde, Kester salvaria minha vida.

3

UMA PALAVRA QUE MUDOU MINHA VIDA

"O catalisador humano para os sonhadores são os mestres e incentivadores que eles encontram ao longo de suas vidas. Então, eu gostaria de fazer um agradecimento especial aos meus professores."
– Kevin Carroll, cliente do Starbucks, impresso no copo de um Venti Latte Descafeinado

MAIO

Eu estava parado na estação de Bronxville esperando o trem das 7h22 para Nova York. Meu expediente só começaria às 10h30, mas eu queria ter mais tempo. O trem de Bronxville para a Central Station me tomava pelo menos 30 minutos. O metrô da Central Station levava mais 10 a 20 minutos até Times Square. De lá, eu pegaria outro metrô até a estação da Rua 96, de onde poderia, então, andar apenas cerca de um quarteirão até a minha loja. Ainda não havia dominado a rotina de usar o transporte público e não queria me atrasar. Achava que não podia me dar ao luxo de cometer um só erro no meu novo emprego.

Esperando na plataforma, naquela manhã de maio, eu tive a chance de olhar ao redor de Bronxville. À medida que as chuvas de abril anunciavam as flores de maio, o inverno preto-e-branco ia partindo, dando lugar às cores da primavera. Havia tons de vermelho vivo e tulipas brancas por toda parte, numa profusão quase gritante. As árvores tinham aquela tonalidade verde precoce, como uma névoa branda contra o céu azul da manhã.

Suspirei e então, do nada, comecei a chorar baixinho. As lágrimas rolavam pelas minhas faces em silêncio, e eu tentava contê-las. Não queria atrair atenção, em meio àquela multidão de pessoas cheias de energia indo para o trabalho. Os homens e mulheres pareciam estar todos vestidos com ternos elegantes e tagarelavam com aquele tipo de entusiasmo de quem está satisfeito consigo mesmo, que eu passara a achar repugnante.

Eu tinha inveja daquelas pessoas, por se sentirem tão confiantes em relação à vida.

Eu as odiava pela tranqüilidade com que pareciam encarar a viagem para o trabalho.

Eu sabia que era relativamente invisível para elas. Vestido com minha calça preta, blusa e boné da Starbucks, eu parecia o que de fato era – um trabalhador comum. Só mais uma daquelas pessoas que aparecem em horas estranhas para se juntar à corrida pela condução, mas que estavam seguindo para trabalhos braçais e não eram notados pelos manda-chuvas.

Tentei enxugar as lágrimas, mas elas não paravam. Alergia a todo aquele pólen que havia no ar, talvez? Mas eu sabia que não era isso.

Havia algo incongruente e triste no fato de eu estar parado naquela plataforma, esperando um trem para o trabalho, de uniforme, décadas depois de ter chegado àquela cidade pela primeira vez. Meu pai decidira que, depois que minha mãe tivesse vários outros filhos (parecia-me que papai queria muito ter outro filho homem), sairíamos de Nova York.

Papai escolheu e reformou uma enorme mansão vitoriana, com 35 cômodos, em Bronxville, porque era perto da cidade e tinha uma boa escola pública. Ele dizia, com entusiasmo: "Esta é a maior casa que alguém da família já teve."

Ele pegou o dinheiro da venda da nossa casa na Rua 78, em Nova York, e investiu tudo naquele casarão. Construiu uma biblioteca de dois andares, com uma escada móvel para alcançar os livros nas estantes mais altas. Apesar do aparente orgulho que sentia daquela mansão, papai sempre parecia ansioso para sair, para voltar à sua vida na cidade. Nunca o vi entrar na biblioteca e ler de fato um livro, ou mesmo se sentar. Depois que nos mudamos para Bronxville, ele passava cada vez menos tempo comigo ou com a família. Saía de manhã cedo e só voltava depois que eu já tinha ido dormir.

Como eu fui acabar ali... Parado numa estação de trem... Morando num apartamento pequeno em vez de uma mansão enorme... Sem família ou amigos? Enxuguei mais lágrimas do rosto.

Assim que consegui o emprego na Starbucks, tentei encontrar um apartamento perto da minha loja, no centro de Nova York, e descobri que eram caros demais para mim. Comecei a procurar fora de Manhattan, nos bairros mais afastados. Mesmo assim, não parecia haver nada que eu pudesse pagar, perto da cidade.

Um dia, parei para comer um hambúrguer num restaurante cujo dono era um velho amigo de escola, Phil. Ele me disse que tinha herdado uma casa dos pais, com um pequeno apartamento de sótão, no terceiro andar.

– A casa fica perto da linha do trem – disse Phil – mas pode ser muito conveniente para você. Além disso, eu posso lhe fazer um preço camarada.

Agarrei a oportunidade. O apartamento pequeno servia às minhas necessidades. Gostava de subir as escadas antigas e morar no sótão de uma casa velha.

O trem chegou.

Entrei nele, arrastando os pés atrás da manada de passageiros ansiosos. Eu sabia que ficar rabugento não era uma boa maneira de se começar o dia, então tentei evocar lembranças boas. Dizia a mim mesmo que tive momentos felizes em Bronxville na juventude. Mas tinha que admitir que, na verdade, aquelas festas com gente importante significavam pouco para mim. Eu preferiria ter passado mais tempo sozinho com meu pai.

Aos 64 anos, em breve estarei morto, pensei. Será que eu quero passar o resto da minha vida lamentando o passado? Está na hora de encarar de forma mais positiva os poucos anos que me restam.

Naquele instante, enquanto me espremia anonimamente para entrar no vagão rumo ao meu novo emprego, pensei na frase de F. Scott Fitzgerald: "As vidas não têm segundo ato." Será que eu estava numa jornada quixotesca, tentando começar uma nova vida? E estar ali, naquela situação, não seria um sinal de que estava no caminho errado?

Respirei fundo e tentei analisar aquilo. Sentia que gostava de trabalhar com Crystal. Era duro admitir, mas em muitos aspectos eu gostava mais de trabalhar na Starbucks do que no meu superemprego na J. Walter Thompson.

Seja sincero, Mike, pensei, chamando-me pelo meu novo nome. Você gosta do que está fazendo. Quem disse que não pode gostar do que faz só porque está usando um avental verde, em vez de um terno elegante?

Aquilo me fez rir alto. Alguns passageiros olharam para mim. Eles nem tinham notado as minhas lágrimas, mas rir sozinho era algo claramente inapropriado.

Quando cheguei à Central Station, já me sentia verdadeiramente bem. Saí depressa do trem, e minha cabeça estava erguida.

Não há nada de errado em trabalhar para a Starbucks, eu disse a mim mesmo, e tem muita coisa boa. Eu conseguiria bancar meu pequeno apartamento. Não era a mansão enorme da minha juventude, nem o belo casarão onde vivi com minha mulher e meus filhos, mas era um lar para mim. Um lugar só meu.

Desci do metrô na Rua 96, subi a escada íngreme da estação e me deparei... Com a luz do sol. Fazia um dia bonito em Nova York, era um daqueles raros dias de primavera em que há uma verdadeira eletricidade no ar. Vi a placa verde da Starbucks na esquina da Rua 93 e segui em direção a ela com um otimismo crescente.

Outra frase de Fitzgerald me veio à mente. Algo que ele escreveu para a filha, depois que a sua mulher morreu num incêndio, num manicômio. Zelda tinha sido uma promessa da juventude que nunca se cumpriu, e Fitzgerald disse: "Ela percebeu tarde demais que a dignidade estava no trabalho."

A dignidade está no trabalho, repeti para mim mesmo. Este poderia ser meu mantra.

Por que demorei tanto para descobrir essa verdade essencial? Cheguei a brigar com a minha filha Elizabeth, que eu chamava de "Bis", quando ela quis trabalhar. Quando ela tinha apenas 12 anos, lhe ofereceram um emprego de verão, para cuidar da agenda do seu professor de tênis e ajudar nas aulas, mas eu não deixei – sem nem ao menos conversar com Bis.

– Como você pôde fazer isso, papai? – ela me disse, com lágrimas escorrendo de seus olhos.

– Quero que você tenha a chance de se divertir neste verão.

– Mas eu gosto de trabalhar – minha filha respondeu com raiva.

Para mim, o trabalho era uma obrigação, não uma escolha. Admirava aqueles que nunca tinham precisado trabalhar... E cobiçava aqueles dividendos gordos de alguns dos meus amigos mais ricos. Eu achava que estava fazendo um favor a Bis, ao protegê-la da necessidade de trabalhar. Como eu estava errado.

Por que eu não tinha aprendido, com o seu exemplo, a dignidade do trabalho? Mesmo quando era uma mera assistente que servia café, Bis encarava a sua função com verdadeiro entusiasmo. Só então percebi o milagre que Bis era – o inverso da minha idéia de que o trabalho era um dever, e não uma vocação.

Pensar em Bis me fez entrar na minha loja da Starbucks ansioso por trabalho duro. Eu esperava que Crystal estivesse lá para me dar algo para fazer – desde que não envolvesse a temível caixa registradora. Por mais que eu quisesse provar meu valor como novo parceiro da Starbucks, eu hesitava todos os dias antes de lidar com os clientes. Ainda não tinha ficado na caixa, e a idéia me aterrorizava. Eu geralmente ficava perto do "escritório" de Crystal – um espaço pequeno com uma mesa, uma cadeira e um computador. Depois de um tempo, ela se virava para mim e perguntava: "O que você acha de ficar com a limpeza hoje?"

Eu sempre respondia: "Não consigo pensar em nada melhor!"

Fazer a limpeza, eu pensava, me manteria longe daquelas caixas registradoras aterrorizantes. Eu achava que ia fracassar – totalmente – quando fosse obrigado a dar o troco e falar com alguém ao mesmo tempo. Por isso eu queria conquistar o respeito de Crystal – e me tornar necessário para ela na loja – em alguma função que eu pudesse aprender a exercer.

Obviamente, não tinha a menor experiência em limpeza. Em casa, minha ex-mulher cuidava disso, ou chamava faxineiras para fazer o trabalho pesado, como limpar o banheiro e a cozinha. E, como alto executivo da JWT, nunca tinha precisado limpar meu escritório. Mulheres com sacos plásticos de lixo e aspiradores de pó apareciam à noite, às vezes quando eu estava indo embora. Eu me orgulhava de ser educado com elas, mas não ficava pensando em como era duro deixar aquela sala inteira tão limpa.

– Isto aqui se chama junta – disse Crystal, na minha primeira tarefa de limpeza. – Dá muito trabalho para limpar. Nossa parede é de azulejos, e a junta é um problema. Ou talvez seja melhor dizer que a junta é uma oportunidade.

Certamente era uma oportunidade para mim.

Crystal me deu uma escova especial para limpar as juntas. Então me mostrou como encher o balde do esfregão com água quente e um produto de limpeza. Eu iria lavar a parede, depois esfregá-la, então limparia as juntas com a escova e depois esfregaria novamente. Limpar alguns poucos metros levaria vários minutos. A loja inteira levaria horas. Lancei-me ao trabalho de limpeza com uma espécie de vigor ensandecido.

Crystal passou por mim em um determinado momento e chegou a rir.

– Mike, eu nunca vi ninguém limpar uma parede com tanto entusiasmo.

– Estou adorando! – eu disse, e estava falando sério. Conseguia ver que estava fazendo uma diferença. Até os outros parceiros começaram a me respeitar tacitamente. Imagino que não esperassem que aquele senhor distinto fosse gostar tanto de limpar as juntas dos azulejos.

Kester passou por mim e me disse com seu sorriso cativante:

– Atenção com o banheiro.

Naquele mesmo dia, Crystal veio me falar:

– Mike, vou mostrar a você como limpar de verdade um banheiro. Sabe quando um lavador de carro diz que está deixando seu carro "nos trinques"? Nós vamos deixar o banheiro "nos trinques". Vamos fazer juntos desta primeira vez. Depois, vou querer que você se certifique de que o banheiro esteja sempre brilhando.

Crystal me fez colocar luvas e me deu um detergente superpotente. Em seguida, me vi metendo o braço dentro da privada e me enfiando debaixo dela para limpar todo tipo de sujeira. Fiquei surpreso por ter sentido tão pouca repulsa por um trabalho que, antes, eu teria considerado muito abaixo de mim e humilhante demais para sequer me imaginar fazendo. Mas como Crystal o encarava de forma tão positiva, ela me fez mudar totalmente de opinião. Senti também, instintivamente, que, se eu pudesse fazer alguma coisa por Crystal, conseguiria manter meu emprego – independentemente das dificuldades que tivesse naquele ambiente comercial agitado. Assim, entrei com prazer na sua energia de determinação otimista e fiz uma limpeza excelente naquele banheiro, que ficou, de fato, brilhando.

Ela sorriu.

– Mike, tenho que admitir que nunca vi ninguém limpar como você.

Ela não sabia que, para mim, todo o meu futuro na Starbucks dependia de me tornar bom num trabalho que ninguém mais queria. Supus que, daquela maneira, ela não iria me demitir. Eu morria de medo de perder aquele emprego. Não queria fracassar naquela que talvez fosse minha última chance. A idade média dos parceiros na loja era 20 anos. Eu sabia que dera sorte ao conseguir aquela oportunidade.

Minha idade avançada, porém, não me tornara mais compassivo com os mais velhos e necessitados. Compreender e ajustar meu comportamento ao estilo Starbucks não foi fácil. Principalmente no começo.

Uma tarde, eu tinha acabado de deixar o banheiro "nos trinques", e ele estava brilhando. Então, vi um velho negro, claramente um morador de rua, se encaminhando para o banheiro. Parei na sua frente e expliquei que estava fechado para limpeza – uma mentira que inventei por medo da sujeira que ele poderia fazer.

Crystal me ouviu e fez um gesto para que eu a seguisse até seu escritório – o que nunca era um bom sinal. Descobrira que ela nunca criticava ninguém na frente dos clientes, ou mesmo na frente de outros parceiros. Ela puxava você para uma conversa particular na sua sala.

– Mike, jamais proíba alguém de usar o banheiro – ela disse num tom baixo, com irritação.

– Mas aquele velho nem era um cliente, ele não tem dinheiro para...

– Ele pode não ser um cliente, mas todos que entram por aquela porta são nossos convidados. É isso que torna a Starbucks diferente de qualquer outro lugar em Nova York. Você nunca notou que não existem banheiros públicos nesta cidade?

Por algum motivo, talvez por ter trabalhado tão duro para limpar tanta sujeira, eu argumentei:

– Mas não cabe à Starbucks oferecer banheiros públicos para os desabrigados.

Crystal não falou nada... por cerca de 30 segundos. Dava para perceber que ela estava furiosa. A raiva parecia deixar seus olhos maiores.

Eu fiquei quieto. De alguma forma, tinha pisado numa mina de emoção prestes a explodir. Eu me senti péssimo – e assustado.

– Veja bem. – Ela falou pausadamente; dava para ver que estava se controlando para não gritar comigo. – Na minha loja, na nossa loja, as pessoas são... bem-vindas. Não proibimos ninguém de usar o banheiro, principalmente alguém que está precisando muito se sentir bem-vindo, não ser humilhado por outra pessoa.

Ela não tinha dito ser humilhado "por outro branco", mas eu interpretei desta forma. Talvez estivesse sendo sensível demais. Compreendi que tinha cometido um grande erro. Crystal e a Starbucks não tratavam as pessoas daquela maneira.

Voltei até a entrada da loja para ver se encontrava o sujeito, mas ele tinha sumido. Minha rejeição provavelmente não significou nada para ele – Nova York é uma cidade hostil, se você estiver querendo ir ao banheiro. Mas aprendi uma lição valiosa naquele dia. Minha velha arrogância voltara, logo quando eu achava estar fazendo um ótimo trabalho. Que droga!

No dia seguinte, Crystal nem mencionou o incidente. Eu ainda ia aprender que ela não guardava rancor. Quando não gostava de alguma coisa, falava na mesma hora. E depois nunca mais tocava no assunto.

– Agora vamos passar lá para fora – ela disse, e passei a lavar a calçada e as janelas. Uma semana depois, ela veio falar comigo.

– Decidi promovê-lo a supervisor de limpeza – disse. – De vez em quando, vou pedir a outros parceiros que o ajudem, e você poderá supervisionar o trabalho deles.

Fiquei orgulhoso. Eu, promovido! Na J. Walter Thompson, tinha aprendido a ficar empolgado com promoções. Passar de redator a diretor de criação, depois a vice-presidente executivo tinha sido uma série de ocasiões sensacionais. Aquelas promoções eram sempre acompanhadas de um aumento, um elogio, um jantar num restaurante chique – e prestígio junto aos colegas. Mas então percebi com um choque que já não estava num mundo onde aquilo tinha de fato algum significado. Esta não é uma enorme hierarquia corporativa, na qual o seu cargo interessa muito. Pelo amor de Deus, você está limpando privadas!, pensei, rindo de mim mesmo... Algo que jamais soubera fazer antes.

Mais tarde, parado desconfortavelmente no espaço mínimo do escritório de Crystal, eu esperava receber mais tarefas de limpeza. Assim, aquele seria mais um dia longe das temíveis caixas registradoras.

– E aí, Mike – disse Kester ao passar por mim. – Tudo certo?

– Tudo – respondi. – Bem que eu queria ter mais limpeza para fazer hoje.

– Queria merda nenhuma – ele falou, então nós dois começamos a rir da sua referência involuntária às privadas.

Crystal girou na sua cadeira diante do computador para nos encarar.

– Nada de palavrão aqui – ela disse, sem achar graça. Kester me deu uma piscadela e continuou saindo.

Crystal me lançou um olhar penetrante, do tipo que uma mãe lançaria a um filho que está de gracinha.

– Ele estava só brincando – falei idiotamente. Kester não precisava que eu o defendesse. E Crystal estava irritada. Por que não fiquei simplesmente calado?

– Mike, me deixe explicar uma coisa para você – Crystal disse, empurrando sua cadeira para trás.

Ela apontou para a parede atrás de mim, que tinha um papel colado nela.

– Aquele é um papel com os nossos princípios inflexíveis... Leia o primeiro para mim.

Crystal parecia uma professora brava. Bem, eu sabia ler. Li o primeiro "princípio inflexível" com grande entusiasmo, vigor e clareza:

– "Criar um ótimo ambiente de trabalho e tratar a todos com respeito e dignidade."

Crystal se levantou. Embora eu tivesse lido o primeiro "princípio inflexível" da Starbucks com tanta energia, ela ainda parecia irritada com alguma coisa.

– Respeito – ela disse. – Não acho que seja respeitoso falar palavrões aqui dentro.

Ela deixou a mão cair. Baixou a voz.

– Mike, eu não queria estourar assim com você. – Ela sorriu. – É só que, antes de eu vir para cá, ninguém me tratava com respeito... Jamais. Eu nunca nem tinha ouvido essa palavra. Minha mãe era viciada em drogas. Morreu quando eu tinha 12 anos. Fui entregue aos cuidados de uma tia que já tinha dois filhos. – Crystal jogou as mãos para cima, num gesto exagerado. – Respeito? Naquele hospício? Não tenho como culpá-la agora, pois consigo entender a realidade dela, mas na época fiquei muito magoada por minha tia não me querer. Ela certamente não me tratava com respeito nenhum. Minha tia me odiava. E ela odiava os brancos.

Crystal olhou para mim como se dissesse: "Agora você entende?"

– Ela chamava os brancos de "inimigos".

Era como se Crystal estivesse tentando me chocar com suas revelações. E deu certo. Fiquei calado.

– Minha tia não me tratava como um inimigo, mas ela me fazia sentir como uma estranha indesejada na sua casa. E desde que cheguei aqui na Starbucks, eu me senti... bem-vinda.

Crystal me deu as costas e voltou a se sentar. Era novamente a gerente da sua loja.

– Desculpe – falei.

– Não precisa pedir desculpas, Mike. A gente não aprende da noite para o dia. Ainda estou aprendendo. Só queria lhe explicar por que isso é tão importante para mim.

Desde o dia em que botei o pé na Starbucks, eu também havia sido tratado com respeito. Quando Crystal ou outros parceiros me pediam para fazer alguma coisa, sempre falavam: "Mike, você poderia me fazer um favor?" Nunca tinha recebido uma ordem. Também notei que eu mesmo tinha passado a me respeitar um pouco mais, depois de lidar com a limpeza e aspectos desagradáveis do trabalho.

– Você vai entender – ela continuou. – Leva um tempo. Ei, tenho um projeto de limpeza ótimo para você hoje... Isto é, se você quiser. Limpar este escritório.

– Eu adoraria! – respondi sem pensar. Outro dia de limpeza, longe dos temerosas caixas registradoras.

Crystal sorriu do meu entusiasmo.

– Legal – disse ela. – Tenho que conferir se está tudo em ordem lá na frente. Depois eu volto, e vamos deixar este lugar brilhando!

Ela foi depressa para a frente da loja, cheia de energia. Um pouco desse entusiasmo me faria bem, pensei com meus botões. Talvez fosse melhor passar mais tempo cantando e rindo do que choramingando sobre o passado. Estava na hora de pegar meu avental verde, vesti-lo e me preparar para ajudar Crystal.

Eu vinha sendo idiota. Precisava parar de me levar tão a sério. Sim, tinha perdido muitas coisas. Enfrentara muitas coisas. Mas ainda estava vivo, estava trabalhando na Starbucks e sendo tratado com respeito. Eu já aprendera que havia bastante dignidade nos tipos mais duros de trabalho. Deveria cantar e rir mais, por respeito a Crystal e ao que ela estava me ensinando. Por respeito a mim mesmo e à minha nova vida.

4

PREPARADO OU NÃO, PARA A LINHA DE FRENTE

*"Let go your sadness, give up the fight, follow your madness and take flight... take flight."**
– letra do músico Seal, impressa no copo de um Venti Americano

JUNHO

Ao longo das semanas seguintes, correndo pela Central Station para fazer a baldeação e pegar o metrô até minha loja na Broadway, eu às vezes me lembrava de como, na minha outra vida, eu colaborara com um pequeno gesto para a preservação daquele lugar.

Vinte e cinco anos atrás, eu estivera na Central Station com Jackie Kennedy e meu pai, discutindo planos para salvar a estação da ruína. Eles queriam que eu conseguisse o apoio publicitário da companhia J. Walter Thompson para aquele projeto – de graça.

– Este é o maior espaço público de Nova York – disse meu pai, gesticulando com entusiasmo ao seu redor. – Ele precisa ser preservado.

À medida que envelhecia, meu pai se tornava cada vez mais passional no que dizia respeito à preservação da cidade que amava. Ele gostava de se descrever como um "arquiteto *manqué*" – ou seja, um arquiteto frustrado – e sempre afirmava que a arquitetura e os prédios tinham sido sua primeira paixão.

---

* Numa tradução livre: "Liberte-se de sua tristeza, chega de lutar, siga sua loucura e comece a voar... comece a voar." (*N. do T.*)

– Não podemos deixar este espaço público maravilhoso ser profanado por construtores gananciosos e oportunistas – entoou meu pai com sua voz melodiosa de barítono, como se falasse para uma platéia imensa, embora fôssemos somente Jackie e eu. – Ele merece existir... Viver como uma espécie de oásis bonito e espaçoso nesta cidade superpopulosa e barulhenta... Um raro espaço acolhedor para inúmeras gerações futuras de nova-iorquinos.

Jackie estava parada ao seu lado, olhando-o com adoração. Meu pai era um escritor de sucesso, algo que ela sempre quis ser. Além disso, era engraçado e sociável, qualidades que ela admirava. Falei pouco, mas como já havia consultado meus superiores na JWT, pude prometer o apoio gratuito da empresa ao projeto.

Ajudei a organizar uma viagem de trem para Jackie com a imprensa até Washington, onde o Supremo Tribunal iria votar uma lei de preservação de localidades históricas. Após o evento, haveria uma festa luxuosa, para a qual convidei várias celebridades. Ninguém recusou meu convite.

Jackie lidou com todos os presentes demonstrando um talento impressionante para fazer contatos e lisonjear qualquer pessoa a que se dirigisse.

Enquanto a observávamos dar atenção total a cada VIP na sala, meu pai comentou comigo:

– Ela possui um talento extraordinário para administrar a própria imagem. Tem a sabedoria de só associar sua enorme popularidade às poucas causas em que acredita de fato. Felizmente, é apaixonada pela cidade de Nova York.

Ela encontrou tempo para trocar algumas palavras comigo no fim do evento.

– Michael, você nos ajudou muito.

Tive que me inclinar para a frente para ouvi-la – Jackie falava muito baixinho – e fui envolvido pelo casulo da sua atenção. Ela me fez sentir como se eu fosse a única pessoa na sala. Era muito mais bonita pessoalmente do que na televisão. Menor, perfeita, com olhos grandes que pareciam atrair você. Também exalava uma sensualidade sedutora, que nenhuma câmera podia capturar.

– Obrigado – falei, tão tímido quanto todos aqueles políticos profissionais e jornalistas veteranos diante da sua presença poderosa.

Jackie me deixou segundos depois. Porém, de alguma forma, não me fez sentir diminuído pela sua pressa em estar com outras pessoas e agradecer a elas. Pelo contrário. Eu me senti valorizado por aqueles poucos instantes na sua presença e jamais os esqueci.

Foi então que me lembrei, olhando para o relógio grande e novo em folha sobre a cabine de informações e para a área esplendorosa e revitalizada que ela conquistara para a Central Station, que poderia acabar me atrasando para o trabalho. Corri para pegar o trem, sabendo que os metrôs da cidade nunca estavam lá quando se precisava deles. Por sorte, o trem chegou rápido.

Cheguei à loja, e comecei a suar, naquele calor de junho. O verão parecia ter chegado cedo a Nova York; ou era minha ansiedade que fazia o calor aumentar? Cumprimentei meus parceiros com um sorriso rápido e corri até os fundos, para colocar meu avental. Ao bater o ponto, vi que o relógio marcava duas da tarde, isto é, por muito pouco eu não me atrasei. A idéia me fez literalmente tremer. Por que tinha perdido aquele tempo precioso na Central Station, pensando no passado e quase estragando meu futuro? Eu estava furioso comigo mesmo e prometi que passaria a sair mais cedo de casa.

"Menos passado, mais futuro!", repetia para mim mesmo. Era uma espécie de mantra no qual eu queria acreditar.

Vi Crystal erguer os olhos do seu computador e notei que tinha falado aquilo alto. Eu estava enlouquecendo! Felizmente, ela voltou a olhar para a tela logo em seguida.

Por mais ansioso que eu estivesse para provar o meu valor, ainda hesitava em ir para a linha de frente com os outros parceiros. Estava lá há mais de dois meses e ainda não tinha lidado com uma caixa registradora. A idéia me deixava apavorado.

Crystal estava concentradíssima no computador dela. Seu cabelo brilhante lhe caía sobre os ombros, e ela usava uma jóia cara de ouro em cada mão. Fiquei parado atrás dela na esperança de chamar atenção. Por cima de seu ombro, percebi que ela estava preparando algum tipo de apresentação. Não pude deixar de oferecer ajuda.

– Eu costumava fazer muitas apresentações – falei. – Talvez possa ajudar.

Ela se virou para mim com uma expressão irritada. Naquele instante, ela estava claramente sem tempo e sem paciência para mim.

– Mike, você não acha que já está na hora de você ir lá pra frente e assumir uma registradora?

Meu queixo literalmente caiu. Não! Aquela não era a reação que eu tinha esperado quando me ofereci para ajudá-la com o trabalho dela.

– Você fez a simulação no computador, não fez? – prosseguiu Crystal. Eu fizera o treinamento no computador, mas tinha certeza de que aquilo não se comparava à experiência verdadeira de lidar com centenas de dólares e, ao mesmo tempo, pedir bebidas e tentar fazer contato visual com os clientes.

– Fiz... – falei com relutância.

– Ótimo.

– Mas, Crystal, sinceramente, talvez eu possa ajudá-la na sua apresentação. – Eu estava quase implorando para fazer algo que sabia fazer, em vez de algo em que certamente fracassaria.

– Como? – Ela estava irritada novamente. – Esta é uma apresentação sobre a loja, um relatório sobre os parceiros e como eles estão se saindo, sobre as vendas dos doces, sobre o café, os grãos e sobre como estamos cuidando do espaço físico... E você não é exatamente um especialista no assunto.

Ela estava sendo sarcástica, o que era raro em Crystal. Voltou a encarar a tela, claramente tentando me despachar. Mas eu não estava disposto a me deixar ser despachado. Faria qualquer coisa para não ter que trabalhar como caixa.

– Você já ouviu falar do método SIM?

– Não. – Ela não olhou para mim, concentrada no computador. – O que isso tem a ver com o que eu estou tentando fazer? Mike, isso aqui é difícil, não tenho...

– O método SIM é baseado em pesquisas sobre apresentações...

Ela se virou para mim. A palavra "pesquisa" sempre chamava a atenção dos clientes – e também funcionou com Crystal. Qualquer opinião fica muito mais interessante se for antecedida pela idéia de que há algum estudo científico por trás dela. Mas eu não queria ser presunçoso com Crystal, como talvez tenha sido com meus clientes no passado.

– Não é nada de mais – expliquei. – SIM é apenas uma abreviação de "Simplifique". Pesquisas mostram que as melhores apresentações são simples e curtas. Você alguma vez já quis que uma apresentação fosse mais longa, ou mais complicada?

Crystal riu.

Ufa. Minha experiência anterior na publicidade também me ensinara que, se você conseguir fazer seus clientes sorrirem, eles geralmente compram suas idéias. Uma vez, numa concorrência para a nova campanha de uma empresa de telefonia, tomei uma atitude drástica. Fomos a última de cerca de oito agências que eles analisariam. Eu sabia que já estariam cansados.

Estávamos marcados para entrar às três da tarde, logo após o almoço. Biologicamente, este é o pior horário para se apresentar qualquer coisa, quanto mais pedir para uma empresa investir em você milhões de dólares de orçamento para publicidade. No edital da concorrência, a Sprint fez a seguinte pergunta: "O que vocês fariam se alguém na agência cometesse um erro na nossa campanha?"

Aquilo me deu uma idéia. No começo da nossa apresentação, falei:

– Nós respondemos a todas as 33 perguntas do edital de vocês. Detalhadamente. Entregaremos as cópias para análise. Sabemos que somos a última agência a se apresentar. E vocês provavelmente já ouviram muitas promessas. Então vamos abordar apenas algumas questões essenciais. Não vamos prometer nada. Vamos demonstrar nos próximos minutos exatamente como lidaríamos com a conta de vocês. Apresentaremos idéias de anúncios reais, já testadas em grupos de discussão e prontas para serem lançadas. Apresentaremos um plano de mídia real, que pode fazer vocês economizarem dinheiro.

Fiz uma pausa de efeito.

– Mas, primeiro, quero abordar uma das perguntas mais importantes do edital: o que faríamos se alguém cometesse um erro na conta de vocês? Eis a nossa resposta. Na noite passada, um dos nossos executivos, Harry Smink, que está nesta sala agora, escreveu o nome da Sprint errado, numa das nossas apresentações. Vou mostrar o que vai acontecer com você, Harry.

Neste instante, saquei um revólver de verdade carregado com uma bala de festim e atirei nele. Ele fingiu cair. Os clientes levaram um susto... e caíram na gargalhada. Ficaram a apresentação inteira muito atentos, talvez até com medo de não prestarem atenção. Ganhamos a concorrência.

Risadas eram um bom sinal. Então fiquei feliz ao ver Crystal rir.

– Então, como eu aplico esse método SIM? – perguntou ela, que sempre reconhecia rapidamente uma oportunidade de ser ajudada.

Eu sabia que não tinha muito tempo.

– Você poderia tentar os três Ps.

Ela me olhou como se dissesse: Vamos logo com isso!

– Pessoal. Produtos. Proventos. Em *Pessoal*, você pode falar sobre os novos funcionários que contratou; *Produtos* podem incluir as vendas dos doces e dos grãos; e os *Proventos* são o resultado final.

– Acrescente o *Ponto* – disse Crystal, erguendo a mão espalmada e batendo com ela na minha. Bati de volta, sem jeito. Não fazíamos aquilo na JWT.

– Ponto? – perguntei.

– A loja... Fizemos uma limpeza aqui, Mike, como você muito bem sabe... Quero frisar isso também.

Não consegui deixar de discordar dela. Minha experiência me dizia o contrário.

– As pesquisas mostram que as pessoas só conseguem se lembrar de três coisas. Ninguém, depois de milhares de anos, consegue lembrar mais do que três dos Dez Mandamentos.

Crystal não estava me ouvindo. Decidi ficar quieto – depois de dar só mais uma sugestão. Não podia evitar.

– As melhores apresentações começam com alguma imagem ou objeto de cena surpreendente... Algo de que eles nunca irão se esquecer. Antes de você apresentar os quatro Ps – eu disse para Crystal, falando "quatro" para agradá-la – não tem nenhum objeto que você possa mostrar... Só para eles terem uma idéia de quem você é? Algo para tornar a apresentação memorável. Lembre-se, a sua platéia estará vendo um monte de apresentações sobre um monte de lojas.

Ela olhou para mim.

Então vi uma idéia brilhar nos seus belos olhos:

– Que tal isso: eu ainda tenho os primeiros gramas de café que moí na vida, sete anos atrás. Estão guardados no meu apartamento, como uma relíquia.

– Uma relíquia? – perguntei.

– É. Significa muito para mim.

– Por quê?

– Não sei. Talvez por aqueles grãos fazerem parte da época em que entrei na Starbucks, e da revolução que isso foi na minha vida. Gosto de guardá-los. Aqueles gramas de café Verona moído significam muito para mim.

– Maravilha.

Eu sabia que a platéia se identificaria com o amor que Crystal sentia por aqueles primeiros gramas de café que moera na vida. Mas quem era a platéia dela?

– Para quem você vai fazer a apresentação?

– Para um monte de gerentes regionais e mais outros gerentes de lojas.

– Perfeito. Simplesmente comece sua apresentação erguendo os gramas de café. Espere até eles ficarem quietos. Então conte como eles mudaram sua vida.

– Legal – falou Crystal, virando-se novamente para o seu computador. – Agora vá lá para as caixas, Mike. Joann está lá fora... Ela é paciente. Vai ajudá-lo a começar.

Droga! Depois de todo o meu esforço para evitar aquelas caixas registradoras, ajudando Crystal com sua apresentação, seria forçado a lidar com a parte monetária do serviço, na qual sabia estar fadado a fracassar.

Literalmente arrastando os pés, segui até a frente da loja. Felizmente, estávamos no horário mais tranqüilo da tarde, logo depois do almoço e antes de as crianças saírem da escola e encherem a loja atrás de seus Frappuccinos.

Havia três caixas registradoras atrás do balcão. Bianca estava na mais próxima da vitrine de doces, havia uma vazia no meio e Joann estava na caixa perto do bar. Passei por Bianca a caminho da registradora do meio.

– Olá, Mike – ela disse.

Não havia clientes.

Parei, disposto a agarrar qualquer chance de evitar aquela caixa registradora.

– Oi, Bianca. Tudo bem?

– Tudo. – Bianca tinha um rosto meigo e era muito pequena. Sua voz era tão baixa que eu mal conseguia escutá-la.

Segui até a "minha" registradora.

– Joann – falei –, Crystal me disse que você poderia me ajudar a cuidar de uma caixa.

– É claro, Mike.

Joann era uma mulher grande, prestativa, e mais velha do que a maioria dos parceiros. Ela se movia devagar, se comparada aos demais. Conseguia ouvir sua respiração à medida que ela se aproximava de mim. Parecia estar passando mal.

– Você está bem?

– Estou – disse ela. – Respiro pesado assim mesmo. É só digitar seu número – prosseguiu Joann – e então levar a bandeja da registradora lá para trás. Tem uma máquina que vai pesar o dinheiro; deve ter 150 dólares na sua bandeja. Depois volte para cá.

Uma máquina que pesa e conta o dinheiro! Meu coração saltou de alegria. Nunca tinha ouvido falar em coisa parecida. Quase chorei de gratidão. Eu levaria horas para contar as moedas e notas e ainda erraria o valor.

Peguei a bandeja e fui lá para trás. Crystal ainda estava muito ocupada com a sua apresentação, mas ergueu os olhos e sorriu ao me ver.

– Tem uma balança ali – disse Crystal. – Coloque as moedas e notas nela e certifique-se de que o total dê exatamente 150 dólares. Você será responsabilizado por qualquer valor acima ou abaixo disso. No fim do expediente, você não pode estar mais do que 5 dólares acima ou abaixo deste teto.

– Me parece justo – falei, sem perceber que era fácil acabar o dia com vários dólares faltando ou sobrando.

Comecei a pôr minhas notas na balança. Ela era mais ou menos do tamanho de um livro de capa dura grande. Tinha um compartimento para as notas e pequenos compartimentos para as moedas. Aquele aparelho simples fazia uma contagem cumulativa e, no final, mostrava o valor exato que havia sido pesado, num painel. Não era preciso fazer contas! Para mim, naquele meu primeiro dia como caixa, aquela balança minúscula foi um grande milagre. A contagem deu o valor exato, e eu me virei para voltar para a registradora sentindo-me um pouco mais confiante.

– Ei, Mike – me chamou Crystal.

Eu parei e virei a cabeça.

– A apresentação ficou boa. O que eu faço para terminar? – Fiquei feliz por ela pedir meu conselho, independentemente do motivo. Era a primeira vez que aquilo acontecia entre nós dois.

Andei de volta, ainda segurando a bandeja da registradora. Parei para colocá-la em cima da mesa.

– Nunca deixe o dinheiro sair das suas mãos. Esta é uma boa regra para se ter em mente – falou Crystal, no seu melhor tom profissional.

Apanhei a bandeja de volta.

– A melhor maneira de terminar é fazer um resumo do que você disse, Crystal. Uma coisa breve. Eu colocaria simplesmente os três Ps...

– Os quatro Ps, lembra? Nós acrescentamos "Ponto" a Pessoal, Produtos e Proventos.

– Certo. – Eu sorri por dentro. Crystal tinha falado "nós", o que era simpático de sua parte. – Então, faça um slide com os quatro Ps e mais um sinal de igual... e então coloque "O Sucesso da Starbucks".

– Me parece um pouco frio – disse Crystal. Ela estava acostumada com aquele tipo de coisa. E ela tinha razão. A Starbucks não era a IBM. Vendíamos café com amor, como uma experiência positiva e emotiva, não máquinas com uma função objetiva.

– Então qual é o resultado da soma de todas essas coisas? – perguntei.

Crystal pensou por um instante e então sugeriu:

– Que tal colocarmos os quatro Ps, o sinal de igual e então "Uma experiência ótima para os nossos clientes"?

– O.k. – eu disse, virando-me para ir embora.

– Mas você não gostou – disse Crystal.

– Bem, o que há de especial na Starbucks é que trabalhar aqui é uma experiência ótima para os parceiros. Qualquer multinacional diz que coloca os clientes em primeiro lugar. A Starbucks coloca os parceiros em primeiro lugar.

Crystal me encarou. Suas sobrancelhas se juntaram enquanto ela pensava. Então seu rosto relaxou.

– Certo, então que tal: "Uma experiência ótima para parceiros e clientes"?

– Ótimo – falei, me encaminhando para as caixas. Eu queria sair dali enquanto ainda estava no lucro. Crystal tinha entendido a idéia; faria uma apresentação profissional. Pensei no meu mantra: Menos passado, mais futuro. Se eu dissesse algo mais, estaria optando por viver na minha vida passada, e não por construir um futuro. A máquina registradora estava me esperando, e eu sentia que a gentil Joann me ajudaria a vencê-la.

Mesmo assim, parei depois de dar um passo, ainda com a bandeja nos braços.

– Que tal – não consegui resistir – "Uma experiência sem precedentes para parceiros e clientes"? É mais eufônico.

– O que é... eufonia...? – Crystal estava com as sobrancelhas franzidas.

Senti que tinha estragado tudo. Que idiota arrogante que eu sou, disse a mim mesmo.

– Quando uma coisa é eufônica, quer dizer que ela soa bem – falei para ela num tom de pedido de desculpas. – Precedentes meio que rima com clientes... E torna a síntese final mais fácil de lembrar. Pesquisas mostram que as pessoas se lembram melhor de rimas. Isso é importante depois de um monte de apresentações, vai ser mais provável que eles se lembrem da sua.

– O.k. – disse Crystal, voltando-se para o computador. – Uma experiência sem precedentes para parceiros e clientes.

– E quando você diz que algo é "sem precedentes", isso implica um benefício exclusivo.

Crystal já não estava me ouvindo – graças a Deus.

– Vá para as caixas, Mike. E não se esqueça de olhar nos olhos das pessoas e conversar com elas.

Eu já tinha ouvido isso no vídeo de treinamento, mas estava mais preocupado em como lidar com o dinheiro, para não fazer papel de completo idiota. Infelizmente, àquela altura, as crianças já tinham saído da escola.

Joann se aproximou de mim e me ajudou a colocar a bandeja de volta no lugar.

– O computador vai mostrar o valor correto do troco, e o melhor é que o cliente também consiga vê-lo, para corrigi-lo se estiver errado. Você vai se sair bem, Mike.

– Mas eu sou terrível com dinheiro.

– Meus dois ex-maridos também eram. Mas é só deixar a registradora fazer o serviço.

Eu sorri. Aquele era um bom mantra.

Um garoto veio até a minha caixa para fazer um pedido. Não tinha idéia de que estava lidando com um sujeito que nunca tinha feito aquilo antes.

– Quero um Tall Mocha.

Gritei para Tawana, uma garçonete atraente porém brigona, no *espresso bar*:

– Tall Mocha.

– Tall Mocha! – Tawana gritou de volta, confirmando que tinha entendido direito o pedido.

Olhei para a registradora. A tela mostrava as palavras "Mocha" e "Tall", como no módulo de treinamento computadorizado. Selecionei-as. Como era de se esperar, funcionou, e o preço surgiu na minha tela.

O garoto me deu 5 dólares.

A tela mostrou "5 dólares".

Selecionei a opção.

A registradora então se abriu e a tela mostrou o troco exato que eu deveria entregar ao garoto: "$2,73." Peguei o troco da minha bandeja. Ele olhou para o dinheiro, o enfiou no bolso e foi até o *espresso bar* apanhar sua bebida.

Minha tela, do tamanho de uma televisão pequena, dizia: "Feche a bandeja."

Fechei a bandeja.

Ei, pensei, não tem nenhum mistério!

Então a cliente seguinte se aproximou, uma jovem que estava claramente grávida.

– Só um Descafeinado Grande, por favor.

Selecionei "Grande", peguei o dinheiro dela, dei-lhe seu troco, fechei a bandeja e me virei para apanhar um copo de café para ela. O café fresco estava logo atrás de mim, junto com os copos. Entreguei-lhe um.

Ela abriu um grande sorriso para mim, como se eu já fosse um amigo.

– Meu nome é Rachel. Estou esperando outro neném. Tenho que ficar no descafeinado por enquanto. Estou louca para voltar a tomar café de gente.

Percebi de repente que as pessoas talvez fossem me tratar da maneira como normalmente tratavam os atendentes de bar... Queriam ser simpáticas com quem está lhes servindo o que gostam.

Aquela tarde correu surpreendentemente bem, apesar do fluxo constante de clientes.

Quando a noite caiu, a loja ficou ainda mais agitada, mas Joann veio me ajudar algumas vezes. A fila andava tranqüilamente, com as pessoas pedindo um Mocha com um Pump ou um Tall Latte. Minha função era gritar o tamanho, o nome da bebida e qualquer tipo de "personalização", como: um Tall Mocha com um Pump. Algumas vezes eu entendia o pedido errado e falava "um Mocha com um Pump", esquecendo de dizer o tamanho... Ou pedia um Tall Latte, esquecendo de mencionar que o cliente queria leite desnatado. Às vezes os clientes pediam um Mocha com um Pump, ou faziam o pedido ao contrário, começando pelo leite, depois a calda e só então o tamanho, daí eu repetia o que eles diziam e gritava para Tawana. Ela então me corrigia a plenos pulmões, colocando na ordem certa. Era humilhante para mim, mas me fez aprender rápido.

Também foi uma dádiva para mim Tawana ter uma voz tão forte e imperativa. Como meu tumor cerebral havia afetado minha audição, fiquei com medo de não conseguir entender bem os pedidos, mas nunca deixava de ouvir os gritos poderosos de Tawana. E descobri que, me debruçando sobre a registradora e chegando mais perto dos clientes, eu poderia ouvi-los com clareza.

– Se tiver alguma dúvida – disse Joann –, é só perguntar.

E eu perguntava. Descobri que os clientes não pareciam se incomodar em me ajudar a fazer seus pedidos corretamente.

Naquela noite, por volta das 19h, fiquei surpreso ao ver a loja ficar lotada. Costumava pensar que café era uma coisa que as pessoas tomavam no caminho para o trabalho, mas estava claro que ele passara a ser também um estimulante essencial na volta para casa. Notei um executivo entrar na loja e se juntar à fila cada vez maior. Quando estava do outro lado do balcão, eu tinha me esforçado muito para conseguir que um cliente em potencial como aquele homem bem vestido retornasse uma de minhas ligações. Agora, meus clientes estavam literalmente fazendo fila para que eu os atendesse. Que irônico.

Chegou a vez do executivo e ele me disse:

– Macchiato duplo.

Dialeto Starbucks. Tive dificuldade para descobrir como traduzir aquilo para a caixa registradora. Comecei a sentir meu rosto corar à medida que selecionava várias combinações incorretas.

– Você é novo aqui, certo? – perguntou o homem. Olhei para ele. Será que iria reclamar para Crystal e me fazer ser demitido no meu primeiro dia como caixa?

Mas ele sorriu diante da minha expressão de pânico.

– Não se preocupe, daqui a pouco você se acostuma.

Ele se deu o trabalho de me incentivar. Uau. Olhei de volta para tela com uma clareza de pensamento renovada. Selecionei "Macchiato" e depois "Tall". Simples.

O executivo não foi o único que tentou me deixar à vontade.

– Bem-vindo ao bairro – disse uma senhora.

Um outro cara, que parecia um hippie com sua camisa aberta, comentou:

– Fico feliz que eles estejam contratando pessoas mais velhas.

Mais velhas?! O.k., talvez eu não tenha ficando tão satisfeito assim com aquele comentário, mas fiquei grato pela sua atitude. Não tinha como negar: eu era mais velho – pelo menos uma ou duas gerações – que a maioria dos parceiros, de modo que era bom receber as boas-vindas, mesmo que fosse pela minha velhice evidente.

Por volta das 20h a loja começou a ficar mais cheia ainda. Nunca havia percebido como as pessoas tinham feito da Starbucks parte da suas vidas noturnas. Multidões de jovens se amontoavam para passar seu tempo juntos diante de um Latte.

Concentre-se, lembrei a mim mesmo. Aperte o botão certo, faça o pedido, dê o troco correto, sorria. Uma jovem loira bonita veio até a minha caixa.

– Um Tall Latte desnatado – disse ela.

Selecionei com convicção Tall Latte na minha registradora, pedi a bebida para Tawana na ordem certa, peguei a nota de 5 dólares da jovem e comecei a lhe entregar o troco. Somente quando ergui os olhos para sorrir foi que percebi que era minha filha, Annie! Estava tão concentrado em não cometer um erro que nem percebera a quem estava servindo.

– Oi, pai – disse ela, sorrindo. Obviamente achou engraçado eu não tê-la reconhecido. Talvez também tenha achado engraçado me ver usando um avental verde e um boné preto em uma situação claramente muito complicada para mim.

– Annie! – falei. – Que bom ver você!

Senti o sangue subir às minhas faces. Lá estava eu, servindo à minha filha num subemprego. Só conseguia pensar em clichês... Na verdade, não conseguia pensar em nada. Mas lembrei o que Crystal dissera sobre respeito e tentei erguer a cabeça, respeitar a mim mesmo e demonstrar respeito pela minha filha. Annie deve ter notado que eu estava me esforçando para cumprimentá-la adequadamente e que havia uma fila enorme de pessoas impacientes atrás dela... Loucos para pedir suas bebidas.

Ela assumiu o controle da situação com confiança.

– Vou esperar... A que horas você sai?

– Às 21h.. eu saio às 21h.

– Nos vemos às 21h, então – disse ela, indo pegar sua bebida no *espresso bar*. Annie se sentia claramente mais à vontade numa loja da Starbucks do que eu.

– Um Tall Mocha Desnatado Duplo sem Chantilly – disse a próxima jovem da fila. Selecionei arduamente as opções diferentes na tela e pedi a bebida para Tawana. Ela a gritou de volta da mesmíssima forma, o que me deixou aliviado. O cliente sabia o que estava fazendo.

Sabe quando você está praticando um esporte ou está no meio de uma atividade física e não consegue parar ou pensar em mais nada? Lembrei-me de quando jogava futebol americano na escola. Também naquela época, não sabia exatamente o que estava fazendo, mas o esforço, a lama, os empurrões e encontrões me impeliam adiante.

Mais tarde, Joann foi embora e Crystal apareceu atrás de mim.

– Está na hora, Mike – disse ela. – Puxe a sua gaveta.

– Puxar a carrapeta?

Crystal deu uma gargalhada e se virou para Bianca:

– Ele falou que vai puxar a carrapeta!

Embora tenha reclamado, na verdade gostei de elas terem rido de mim. Pelo menos se sentiam confortáveis na minha presença.

Crystal me mostrou como pesar meu dinheiro.

– Sua "perda" vai ser o total pesado menos 150 dólares. Não se preocupe, a máquina vai dizer o valor.

E foi o que fez. Também disse, no computador, que faltavam 4,50 dólares.

– Nada mau para a primeira vez – disse Crystal. – Como disse antes, você pode estar até 5 dólares acima ou abaixo do valor estipulado... mas a maioria dos parceiros erra por alguns centavos. Você chega lá.

Fiquei grato por ter conseguido passar por aquela experiência terrível. Não gostava de quase nada em relação à caixa em si, embora tivesse ficado surpreso com o prazer que senti em interagir com clientes tão dispostos a comprar de mim.

– Você se saiu... bem, Mike – avaliou Crystal ao supervisionar minha pesagem. – Mas tente pedir as bebidas corretamente. E eu estava de olho em você. Na maioria das vezes, você fez contato visual, mas quase não puxou conversa com os clientes. Sei que não dá para fazer muita coisa quando a fila está grande, mas, se tiver um tempinho, tente dizer algumas palavras. Muitas pessoas vêm até a Starbucks para se sentirem melhor... É parte do nosso trabalho ajudá-las.

– Claro – respondi.

Crystal olhou seu relógio de pulso.

– Tenho que ir – disse ela, vestindo um casaco de couro chique. E, enquanto saía, acrescentou: – Vá bater o cartão, Mike.

Havia notado um Corvette parado lá fora, e me ocorreu que ele a estava aguardando. Crystal sem dúvida era glamourosa. Fiquei olhando enquanto ela parava no caminho até a porta para falar com vários clientes. Mesmo com alguém esperando por ela, Crystal obviamente colocava o trabalho em primeiro lugar.

Bati o cartão às 21h05. Tinha trabalhado sete horas. Meus pés doíam, e minha cabeça estava rodando. Foi então que me lembrei: Annie! Ela estava me esperando. Tirei meu avental depressa e fui até a frente da loja.

Encontrei-a num canto, lendo um livro numa mesa pequena.

– Olá, Annie.

– Papai! – Ela se levantou de um salto da mesa e me deu um abraço apertado.

Imediatamente eu me senti melhor.

– Você quer outro Latte? – perguntei.

– Não – ela disse, rindo. – Vamos... Está tarde para você.

Annie sabia que eu gostava de ir para a cama cedo. Sou mais cotovia do que coruja e, quando ela era pequena, costumávamos passar as primeiras horas da manhã juntos. Quando Annie tinha 2 ou 3 anos, nós caminhávamos até um pequeno lago em Connecticut durante as manhãs frescas de verão. Eu nadava com ela na parte rasa e assistia ao sol nascer por trás dos pinheiros. Então nós andávamos de volta para casa e comíamos juntos um pouco de cereal, antes de o resto da família acordar.

Fomos andando até a entrada da minha loja e Annie enlaçou seu braço no meu. Aquilo fez com que eu me sentisse ainda melhor. Com o canto do olho, percebi que Crystal ainda estava ocupada conversando com alguns clientes. Impressionante.

– Vamos pegar o metrô até Times Square – disse Annie – fazer a baldeação até a Central Station, e de lá eu posso pegar um metrô de volta para o Brooklyn. E você, um trem para Bronxville.

Annie sempre soube muito bem o que queria. Era uma batalhadora, foi uma aluna excelente e se formou com louvor na faculdade. Mas decidiu se tornar atriz, levando para esta profissão todas as suas habilidades.

Enquanto seguíamos para o centro no metrô chacoalhante, conversamos em meio ao barulho.

– Queria ver se você estava mesmo trabalhando na Starbucks – explicou Annie. Eu tinha contado para a mãe dela e deixara uma mensagem para Annie, contando que estava trabalhando na loja da Broadway. Mas eu tinha dito para ela esperar um pouco, até eu ficar melhor no que fazia. Ela não esperou.

– Só queria ver se era mesmo verdade – disse Annie, rindo.

– Bem – respondi, na defensiva –, é um trabalho.

– Não, não me entenda mal – ela disse. – Eu gostei. Você fica bem com aquele boné preto.

Percebi que, embora estivesse implicando um pouco comigo, ela estava falando sério. Talvez gostasse da idéia de eu estar disposto a trabalhar duro. E ficou claro para ela que eu estava, o que obviamente não a aborrecia. Eu estava cheio de amor por aquela pessoa maravilhosa – e de culpa.

– Annie – falei com toda a sinceridade –, sinto muito por ter estragado tanto a minha vida, e a sua também...

Foi como se eu a tivesse feito lembrar algo de que havia esquecido e, de repente, sua boa vontade pareceu evaporar. Ela falou com raiva:

– Nunca mais vou escutar seus conselhos idiotas.

O metrô parou em Times Square e, quando saímos, Annie nos conduziu até o trem que pegaríamos em seguida.

Enquanto nos sentávamos no vagão e esperávamos que ele nos levasse até a Central Station, quebrei o silêncio.

– Sinto muito – repeti.

– Sentir muito não é o suficiente – disse Annie. Ela sempre foi geniosa.

O vagão encheu. Deixei uma senhora com cinco sacolas de compras se sentar no meu lugar. Annie também se levantou. Ficamos espremidos no meio de dezenas de pessoas.

Annie usava um terninho de corte elegante e estava com uma postura ereta, apesar do monte de gente e do balanço do vagão, e parecia muito viva e bonita – mesmo sob o brilho hostil das lâmpadas fluorescentes. Ela era muito segura. Olhei para os meus sapatos, odiando a idéia de ter perdido o respeito daquela filha inteligente e trabalhadora, por conta das minhas atitudes idiotas e egoístas.

Descemos na Central Station. Quando passamos pelas luzes acolhedoras de um restaurante que servia ostras deliciosas, me senti tentado a convidar Annie para comer alguma coisa comigo. No entanto, me lembrei da visita que fizera ao escritório do meu contador algumas semanas antes.

Lawrence Best sempre me ajudou – e a muitos publicitários de sucesso – com dinheiro, mas no ano passado tive que lhe dizer que não podia mais pagar pelos seus serviços. Ele disse que queria me ajudar assim mesmo. Quando fui levar meus comprovantes de rendimento, dei a ele dois vale-brindes da Starbucks, para os seus filhos. Larry foi elegante ao aceitar aquela pequena remuneração.

– As crianças vão adorar – ele disse. – Sei que elas adoram a Starbucks. Mas, pelo que estou vendo nas suas faturas do cartão de crédito, você anda comendo no Oyster Bar.

– É, eu passo por lá na volta da Starbucks.

– Mas – disse Larry, inclinando-se para a frente – a questão é que você não é mais um figurão da publicidade, que joga as despesas na conta da empresa. Quanto você está ganhando na Starbucks? Dez pratas a hora? Com a renda que tem, você não deve comer ostras.

Larry se recostou na cadeira e apontou para uma sacola de papel pequena na sua mesa entulhada.

– Aquele é o meu almoço.

Entendi o que ele queria dizer.

Mas eu ainda queria me desculpar com Annie. Percebi que não a tinha tratado, nem aos meus outros filhos, com o respeito e a dignidade que eles mereciam. Tinha sido um idiota arrogante, dando conselhos aos quatro ventos enquanto minha própria vida caía aos pedaços.

Olhei dentro dos seus olhos azul-claros e disse:

– Me perdoe por ter sido um idiota arrogante.

Ela estendeu os braços e me deu um abraço.

– Você foi um idiota, mas gosto de vê-lo trabalhando na Starbucks.

Tive uma enorme sensação de alívio. Annie tinha pavio curto, mas também sabia perdoar e seguir em frente com a mesma rapidez. Uma vez eu disse a ela:

– Você é como uma tempestade de verão. Seu temperamento é muito forte e muda muito rápido!

– Mas é ótimo quando esse tipo de tempestade passa... é como se a gente sentisse tudo de uma maneira nova em folha – respondeu Annie, vencendo a discussão, como sempre.

Ela me deu um abraço apertado e um beijo, e eu corri para pegar meu trem com o coração leve.

5

SORRIA — VOCÊ ESTÁ NA BROADWAY

"Já me resignei a ter cada vez menos opiniões formadas."
– frase de Amel Larrieux, cantora e compositora,
impressa no copo de um Tall Chai Latte

JULHO — AGOSTO

Acordei banhado em suor. Eu não tinha ar-condicionado, e meu pequeno apartamento de sótão estava um forno naquele calor de verão. Eram três da manhã. Ainda faltava mais ou menos uma hora antes de ter que me levantar. Mas estava com calor demais e ansioso demais – para ajudar Crystal a abrir a loja pela primeira vez – para conseguir voltar a dormir.

Eu sentia meu coração bater no peito, o que me assustou. A idéia de abrir a loja com Crystal estava me apavorando. Disse a mim mesmo para me acalmar, mas as conversas que tinha ouvido de outros parceiros me deixaram preocupado. Talvez eu não conseguisse dar conta do recado.

Tentei argumentar comigo mesmo que, na minha vida pregressa, adorava desafios. Adorava correr atrás de novos negócios ou encontrar um cliente "duro de roer". Abrir uma loja, no entanto, era um desafio físico. E eu nunca me senti confiante fisicamente.

Suando naquele calor de verão, lembrei-me de um momento apavorante na Espanha, em 1959. Eu tinha apenas 19 anos e tirara o verão para viajar sozinho pela Europa. Como muitos jovens da minha época, fui para a Espanha em busca de Ernest Hemingway, e o encontrei. Naquele verão, Papa – como ele era chamado – estava sentado numa praça ensolarada em Pamplona, cercado por admiradores de todo o mundo. Ele tinha um rosto bonito e ombros largos, com o cabelo branco penteado cuidadosamente para cobrir uma cicatriz.

Aproximei-me dele.

– Michael Gill – falei, apertando a mão que ele estendeu. Seu aperto de mão era muito forte, quase esmagador. Seus olhos me avaliavam. Ele não me convidou a sentar e me juntar ao grupo.

– Janet Flanner manda lembranças – eu disse a ele. A escritora Janet Flanner era uma colega do meu pai na *New Yorker* e uma velha amiga de copo de Hemingway. Eu a conhecera poucas semanas antes. Quando ela soube que eu era um grande fã de Hemingway, disse que eu mencionasse seu nome quando o encontrasse. Também disse que eu deveria perguntar ao escritor sobre uma cicatriz que cortava o topo da sua cabeça. Havia um boato de que ele tinha sido atingido por um estilhaço de bomba na guerra, ou levado uma chifrada de um rinoceronte na África. Tudo que Janet Flanner me disse foi: "Tem uma boa história por trás daquela cicatriz... Basta Ernest querer contá-la."

Quando mencionei Janet, Ernest Hemingway olhou para mim com interesse renovado.

– Ela é amiga do meu pai – expliquei. – Brendan Gill.

– Sim, eu o conheço – falou Hemingway lentamente, parecendo pesar cada palavra. – E Janet é uma velha amiga minha – prosseguiu, dirigindo-se a todo o seu grupo de acólitos sedentos por suas palavras – Ela é uma das maiores repórteres da sua geração.

Olhei dentro dos olhos de Hemingway, lembrando-me do comentário de Flanner.

– Como o senhor conseguiu essa cicatriz? – perguntei. Os olhos de Hemingway se apagaram diante daquilo, mas por um segundo apenas. Aquele era um homem acostumado ao combate. Real. E verbal.

Então, ignorando minha pergunta, ele simplesmente disse:

– Você já correu na frente dos touros?

– Não – respondi, acrescentando estupidamente: – Ainda não. – Um segundo antes, não me passaria pela cabeça arriscar minha vida num espetáculo tão idiota.

– Bem – falou Hemingway devagar, calculando seu soco verbal –, volte depois que correr na frente dos touros, e então poderemos conversar.

Ele me tratou como se eu fosse um menino, e não um homem.

Bebi a noite inteira, inflamado por aquele clima festivo alucinante. Pela manhã, já havia decidido que ia correr na frente dos touros. O curral abria todas as manhãs às 7h, e aqueles que eram idiotas o suficiente corriam por um quilômetro e meio de ruas de paralelepípedos até a arena, com os touros perseguindo-os enfurecidos por todo o caminho. Eu achava aquilo tudo apavorante.

O dia começava a raiar quando cheguei ao curral que guardava os touros para a corrida do dia. A rua era estreita, ladeada por barricadas largas de madeira. Logo uma pequena multidão se formou, na maioria jovens, se preparando para a corrida.

Então, de repente, ouviu-se um grito e todos começaram a correr, muito, muito mais rápido do que eu imaginara. Tentei me manter junto aos líderes, mas fui recuando aos poucos, sendo empurrado para o meio da massa.

Quando cheguei à esquina, tropecei nos paralelepípedos irregulares e caí numa barricada. Algumas mãos me ajudaram a levantar. Quando tentei me endireitar, descobri que minhas costelas pareciam ter se quebrado e minhas mãos estavam raladas. Outras mãos bateram nas minhas costas me empurrarando de volta ao grupo. De repente, eu estava correndo para continuar vivo. De alguma forma, ganhei um fôlego novo, feito de puro terror.

Tive medo de morrer naquela rua estreita, cercado de pessoas que não conhecia, chifrado por um touro que não estava interessado em mim, mas apenas em apontar seu chifre para a minha camisa. Tudo em nome de Papa.

Lutei para chegar à dianteira, erguendo alto minhas pernas, deixando a dor para trás, até a adrenalina assumir sozinha o comando. Logo estava entre os dois ou três homens que lideravam a corrida. Mais adiante, consegui ver a arena das touradas, o que me deu uma energia extra. A única coisa que me importava era chegar lá.

Tomei um impulso final e entrei na arena assim que os portões se abriram, segundos depois dos primeiros colocados. Então, um bando de touros entrou correndo na arena. Um homem caiu diante dos animais e alguns passaram por cima dele, enquanto outros o pisotearam. Havia um sujeito corajoso fazendo dribles com uma capa. A platéia rugia com aprovação.

Depois da entrada do último touro, fugi para o lado de uma barricada e saí pela mesma abertura pela qual os touros haviam entrado. Eu estava coberto de suor, e ainda tremendo de medo. Encontrei um beco estreito que ainda estava escuro, poupado pelo sol da manhã, deitei-me choramingando (minhas costas ainda doíam) e adormeci.

O sol me acordou, arrastando-se pelo muro abaixo. Voltei até a praça central. Era cedo demais para Hemingway estar no café, então me sentei perto da sua mesa grande e redonda e pedi uma cerveja. E depois outra.

Fiquei olhando para o nada. Sabia que minha experiência só acabaria depois que eu a contasse para Hemingway. Pouco depois de uma da tarde, ele saiu do hotel. Sempre que o via, ficava impressionado como o tamanho daquele homem. Ele se sentou no bar, ergueu sua mão grande para fazer o pedido e então me viu.

Levantei-me e me forcei a caminhar empertigado até sua mesa (sentia dor em todas as juntas do corpo).

– Eu corri na frente dos touros – falei, parado diante dele como um garotinho contando ao pai um grande feito.

– Bom – disse Papa, assentindo com a cabeça. – Bom.

Ele indicou a cadeira ao seu lado, que ainda estava vaga. Uma grande honra. Sentei-me avidamente, quase desabando em cima dela. Hemingway fez sinal para o garçom me trazer uma bebida. Ele tocou meu copo com o seu, brindando comigo enquanto eu bebia. Então, inclinou-se para a frente, na minha direção, e falou em voz baixa:

– Agora, vou lhe contar sobre a minha cicatriz.

Hemingway arrastou sua cadeira e ficou de frente para mim, de modo que nenhuma outra pessoa em volta pudesse ouvir o que ele iria me contar.

– Há quem diga que eu arranjei esta cicatriz na guerra, ou na África. Muitas pessoas inventam muitas histórias sobre Papa – disse Hemingway, como se estivesse se referindo a uma terceira pessoa –, porém, poucos conhecem a verdade. A verdade sobre a cicatriz é a seguinte. Foi em Paris. Nosso grupo passou o dia inteiro bebendo. Mais tarde, fui ao banheiro e levantei o braço para puxar a corda da descarga de uma dessas privadas antigas. Eu era forte naquela época, levantei demais o braço e puxei forte demais... agarrei a alavanca de um basculante e puxei o raio do negócio inteiro para baixo. O vidro se espatifou na minha cabeça. Sangrou muito. Alguém entrou em pânico e insistiu que eu deveria ir a um hospital. Estamos falando de um hospital francês no meio da noite. Quando foram dar os pontos, fizeram um péssimo trabalho. Então eu fiquei com esta cicatriz. Nunca contei às pessoas essa história, então elas inventaram as suas próprias. Como aquela da guerra. Ou a do safári na África e um leão rasgando minha cabeça quando me aproximei para dar o tiro de misericórdia. Mas você ouviu a história verdadeira. Agora, vamos tomar uns drinques com nossos amigos.

Ele se virou de volta para o grupo de pessoas, fazendo sinal com seu braço musculoso para o garçom trazer outra rodada.

Pensava na história do banheiro e da cicatriz de Hemingway enquanto saía da cama no meu pequeno quarto de sótão e mancava com os pés doloridos até meu próprio banheiro para tomar um banho. Eu, que já correra a toda velocidade de uma manada de touros, não conseguia dar conta de um trabalho de atendente servindo café, pensei amargurado com meus botões.

Desde que entrara na Starbucks, meus pés doíam o tempo todo. A princípio, pensei que estava usando o tipo errado de sapatos, de couro preto, caríssimos. Então comprei um par de tênis pretos (eu podia usar qualquer tipo de calçado, desde que fosse preto). Mas meus pés continuaram doendo. Então, um dos meus parceiros, um homenzarrão chamado Anthony, me disse que o melhor era usar botas de pára-quedista.

– É o que eles usam para pular de aviões e aterrissar no chão.

Botas grandes faziam sucesso entre os parceiros.

Gastei boa parte do meu dinheiro suado naquelas botas de combate, mas elas fizeram meus pés doerem mais ainda. Foi então que minha irmã Holly, dois anos mais nova que eu, ligou para me perguntar:

– Como está o seu trabalho na Starbucks?

– Ótimo, mas sinto muita dor nos pés. Fico em pé o dia inteiro.

– Você está ficando velho, só isso – respondeu ela com franqueza. – As almofadas debaixo dos seus pés afinam com a idade e eles doem mais.

O curioso era que meus pés não doíam enquanto eu estava trabalhando. Era como quando eu jogava futebol americano na escola: só percebia as contusões e dores depois do jogo. Vesti minha camisa e calças pretas, calcei os tênis pretos e me encaminhei para a cidade.

Ao sair do metrô, vi que um mostrador de neon do outro lado da rua já marcava 32°C. Eu parecia sentir o calor subindo do asfalto.

No verão, a cidade nunca dormia.

Fiquei novamente pasmo com a incongruência da minha vida – 10 anos antes, como um executivo atarefado, às cinco da manhã eu poderia estar voltando de uma viagem para Los Angeles no vôo da madrugada. Depois que fui despedido, na maior parte das manhãs de verão eu estaria dormindo em paz, no nosso antigo casarão de fazenda na Nova Inglaterra, aguardando ansiosamente o dia de nadar ou jogar golfe com meus contemporâneos, que já estavam gozando o conforto de suas aposentadorias. E lá estava eu, parado na escuridão perigosa em uma Nova York calorenta, esperando minha chefe de 28 anos de idade e com medo de não conseguir abrir uma loja da Starbucks de maneira satisfatória. Meu antigo eu presunçoso e arrogante ficaria horrorizado.

Crystal saiu do metrô tão bem disfarçada que eu não a reconheci – com seu capuz preto, ela se enquadrava na minha idéia de pessoa a se evitar àquela hora da manhã.

Foi um alívio vê-la, mas ela não tinha tempo para amenidades. Passando depressa por mim, Crystal colocou a chave na porta e me disse para "trancá-la depois de entrar".

Percebi que cada segundo contava e que estávamos correndo contra o tempo. Precisávamos abrir às seis – faltava apenas uma hora.

– Me dê uma mãozinha – disse Crystal, e eu a ajudei a levar as caixas dos doces para os fundos. Eles eram entregues fresquinhos todos os dias, em todas as lojas da Starbucks. – Aqui estão os pratos limpos. Coloque os doces neles. Tem um diagrama no balcão mostrando o que fica onde. Preciso colocar o café para fazer.

Quando fui abrir a primeira caixa, Crystal gritou de repente: "Pare!" e eu levei um susto. Nunca tinha ouvido Crystal gritar antes.

– Coloque uma destas luvas de plástico – falou Crystal, entregando-me alguns pares. – Temos que tomar cuidado com a comida. Nunca toque nela sem luvas. O.k., continue.

Coloquei meu avental verde, correndo os olhos pela escala que estava sempre afixada ao quadro de avisos. Bianca chegaria às 6h30 e depois Joann, às 9h. Joann nunca chegava muito cedo, nem ficava até muito tarde. Tinha um filho para cuidar e, por ser uma funcionária tão dedicada e competente, Crystal sempre a colocava numa escala que se adequasse aos seus horários. Fiquei feliz ao ver que Bianca e Joann estariam chegando para me ajudar com o movimento da manhã.

Logo a loja estava repleta do aroma do café delicioso que Crystal estava preparando. À medida que executava a rotina de abertura da loja, ela falava comigo de longe, ajudando-me a aprender enquanto fazia suas coisas.

– Eu preparo o café do dia: Verona – disse ela. – Também preparo uma leva de café suave: o de hoje é o Colômbia. Por fim, preparo um pouco de descafeinado... Agora, estou fazendo um Sumatra descafeinado.

Eu assentia enquanto ela compartilhava estes detalhes comigo. Como ela achava que eu teria tempo para aprender? Estava cuidando dos doces o mais rápido possível antes de a loja abrir. Era muita coisa – e muito pouco tempo.

Olhei para o diagrama afixado ao balcão que dizia onde cada doce deveria ficar. Aquilo não era como lidar com uma caixa registradora e tentar dar o troco certo. Tinha certeza de que conseguiria colocar os doces nos seus lugares exatos – bastou-me passar os olhos pelo diagrama para ele ficar claro na minha cabeça. Depois de uma ou duas consultas, já o havia memorizado. Em Yale, tinha desenvolvido uma boa memória visual como aluno de história da arte, ao passar muitas madrugadas memorizando pinturas. Sorri ao pensar como minha educação superior de elite estava sendo colocada em prática naquele instante – 40 anos depois.

Comecei a rasgar as embalagens plásticas. Havia quatro tipos diferentes de bolinhos, cinco tipos de muffins e três tipos de *donuts*. Além disso, a Starbucks vendia vários outros doces: bolo de *blueberry* diet, rocambole de canela diet, bolo de farelo de aveia, torta de limão, torta de *blueberry* e torta de banana com nozes. Abri a embalagem de croissant de chocolate e de manteiga. Havia também biscoitos, quadradinhos de marshmallow, brownies e outros produtos que precisavam ser desempacotados e arrumados para mais tarde.

Os *bagels* eram complicados de desembrulhar. As embalagens eram feitas claramente para mantê-los o mais frescos possível, mas aquilo tornava muito difícil retirá-los do plástico. Enquanto eu cortava o saquinho dos *bagels* de canela, de gergelim e dos *bagels* comuns e terminava de colocar todos os outros doces no lugar, Crystal continuava a me dar sua aula à distância:

– Agora estou fazendo o Iced Tea.

Olhei para Crystal para que ela soubesse que eu tinha registrado a lição.

– Agora, os nomes – prosseguiu ela, me entregando uma caixa pequena com cartõezinhos com os nomes de cada doce.

Fiquei orgulhoso de mim mesmo por colocar todos os nomes nos lugares certos.

Porém, havia mais coisas a fazer, e a hora estava passando.

– Vou abrir o *espresso bar* – disse Crystal. – Cuide dos sanduíches.

Os sanduíches ficavam na frente do balcão de doces. Dei a volta nele e coloquei o de pasta de ovo, o de atum e o de peru nos lugares já marcados. Depois que terminei, fiquei olhando para a vitrine cheia como se ela fosse uma obra de arte.

Crystal sorriu para mim.

A correria estava quase no fim. Nosso tempo tinha praticamente se acabado. Faltavam apenas cinco minutos para as seis.

– Agora assuma uma caixa – disse Crystal.

Peguei uma bandeja da registradora do meio, tirei 150 dólares dela com a ajuda da máquina mágica e a coloquei de volta na minha registradora. No mesmo instante, vi o primeiro cliente esperando diante da porta.

– Abra a porta, Mike – disse Crystal, ocupada abrindo o *espresso bar*, ligando o vapor e fazendo um primeiro *espresso* para testar se estava tudo funcionando corretamente.

Andei até a porta e a destranquei. Estávamos abertos.

– Bom dia – disse o nosso primeiro cliente.

– Bom dia – respondi, correndo para trás da registradora para pegar seu pedido.

– Um Tall Cappuccino Desnatado e um *bagel* comum com geléia.

– Um Tall Cappuccino Desnatado – gritei para Crystal, e ela gritou de volta:

– Um Tall Cappucino Desnatado.

Ele me entregou uma nota de 5 dólares e eu lhe devolvi seu troco.

Lembrei que Crystal me dizia para fazer contato visual e puxar conversa. Já estava com um pouco menos de medo de fazer besteira na caixa, então decidi tentar.

– Você é torcedor dos Red Sox? – perguntei ao cliente, que estava usando um boné do time. – Não se vêem muitos deles aqui em Nova York.

– Na verdade, não sou, não – ele disse, rindo. Ao encará-lo, percebi que ele tinha cabelos brancos, olhos azuis e um sorriso tranqüilo. – Meu colega de quarto na Faculdade de Medicina de Harvard era um torcedor fanático. Faz décadas que torço pelos Yankees, e ele pelos Red Sox. Porém, fiz 60 anos este ano, daí ele me deu este boné dos Red Sox e eu prometi que ia mais ou menos torcer por eles.

– Mais para mais ou para menos? – falei, e ele riu.

– Uso o boné que ele me deu. É o máximo que ele vai conseguir de mim.

O próximo cliente da fila era um jovem com uma criança de no máximo 2 anos num carrinho. Na minha vida pré-Starbucks, eu o teria avaliado como um sujeito jovem e irresponsável demais para ter um filho, mas aquele não era, de forma alguma, o caso.

Cumprimentei-o:

– Bom dia.

– Vou querer um Venti Latte e um *bagel* comum para Ella.

– Ella?

– É o nome da minha filha, em homenagem a Ella Fitzgerald.

– Venti Latte – gritei para o balcão.

– Venti Latte – gritou Crystal de volta para mim.

– Você é um bom pai – disse a ele enquanto lhe dava o troco.

– Tenho que ser – respondeu ele. – Foi o acordo que fiz com a minha mulher. Desço cedo com Ella. Isso dá a ela alguns minutos a mais de sono.

– Ótimo – falei, enquanto ele empurrava o carrinho até uma mesa próxima à porta. Gostava da idéia de a Starbucks ser um lugar em que ele podia passar um tempo agradável com sua filhinha de manhã cedo.

Ergui os olhos e vi uma mulher usando um cachecol muito bonito e uma boina. Tinha olhos pretos e um sorriso largo.

– Um Venti... mas o que vocês estão servindo hoje?

Olhei para trás. Servíamos um café diferente por semana, e havia uma lista no quadro de avisos.

– Verona – falei. – Ele é muito bom.

– Vou querer um Venti desse. Com um pouco de espaço para o leite.

– Você é artista? – arrisquei. Havia algo no jeito dela que me parecia muito artístico.

– Acertou na mosca – respondeu ela, sorrindo. – Meu nome é Denise. Você vai me ver todos os dias aqui logo de manhãzinha.

Ela se virou, encaminhando-se para a porta. Denise era artista, e também era claramente uma pessoa trabalhadora e disciplinada.

Quando a próxima cliente, uma jovem com uma criança nos braços, pediu alegremente "Um Mocha Grande com Dois Pumps, Descafeinado, Desnatado e sem Chantilly", repeti o pedido para Crystal:

– Um Mocha Grande com Dois Pumps, Descafeinado, Desnatado e sem Chantilly.

Crystal o gritou de volta para mim em uma ordem diferente:

– Um Mocha Descafeinado Grande, Desnatado, com Dois Pumps e sem Chantilly.

Eu sabia que deveria gritar os ingredientes da maneira que eles eram listados no copo, em ordem de importância. Obviamente, Descafeinado era mais importante do que a quantidade de Mocha.

A jovem notou a correção de Crystal e ficou agradecida.

– Só posso tomar descafeinado agora – explicou ela. – Estou grávida... de novo.

Então me dei conta de que era Rachel, uma cliente que havia conversado comigo antes.

– Bem, que ótimo você ter levantando tão cedo – falei, meio sem jeito.

Rachel sorriu para mim.

– Não tenho escolha – ela disse. – Se eu não tomar meu café pela manhã, fico uma péssima mãe; fico péssima em tudo, na verdade! – Ela deu uma risada e se afastou, equilibrando seu bebê e seu café quente com uma destreza de quem já havia feito aquilo várias vezes.

Não tenho escolha, pensei, que coisa maravilhosa. As pessoas não escolhiam ir ou não à Starbucks de forma casual. Estava claro que a loja tinha um papel essencial nas suas vidas; era importante para elas freqüentá-la diariamente. Até várias vezes ao dia, em alguns casos.

Meu humor tinha melhorado desde que começara naquele trabalho. E, naquele instante, compreendi por quê: o que eu fazia no meu antigo emprego era me sentar como cliente na Starbucks, incapaz de arranjar os meus. E era um grande alívio ter gente interessada em falar comigo, em vez de ficar ligando para as pessoas que não queriam atender as minhas ligações. Eu adorava bater papo com aquelas pessoas no começo da manhã. Elas provavelmente não faziam idéia de como era bom para mim.

– Ei, Mike – falou Crystal do seu posto no *espresso bar*, no que me pareceu um tom alegre. – Você nasceu para isso. Está fazendo um ótimo trabalho de relacionamento hoje.

– Relacionamento?

– Com os clientes. A maioria dos parceiros só troca palavras, você conversa. E é engraçado. Você é um cara engraçado!

Imaginei que ela estivesse dizendo aquilo como um elogio. Talvez eu tivesse mostrado um nível de confiança e competência que ela não esperava. Senti o orgulho de um estudante elogiado pelo professor.

Crystal riu enquanto voltava para sua máquina de *espresso*.

O que eu tinha de tão engraçado? Ser engraçado era bom? Durante meus anos trabalhando no mundo empresarial, tinha aprendido o significado de um monte de indiretas profissionais. Porém, em se tratando de Crystal, todo aquele conhecimento era inútil.

Quando houve uma trégua no fluxo constante de clientes, ela perguntou de um jeito casual, porém enfático:

– Quem era aquela jovem que eu vi junto com você, algumas noites atrás?

– Minha filha.

Crystal me lançou um olhar e um sorriso de surpresa.

– Que bom para você – disse ela. Havia um novo tipo de ternura na sua voz, que eu nunca tinha ouvido antes.

Não tive mais tempo para pensar naquilo.

– Um Venti Iced Americano, com pouco gelo – disse-me o próximo cliente, vestido para o trabalho com um terno risca-de-giz.

Percebi que havia uma verdadeira mistura de profissões nas redondezas. Gostava daquilo. A diversidade da Starbucks não se limitava aos parceiros, ela se estendia também aos clientes.

Levantei a cabeça e vi uma fila se estendendo desde a porta. Quanto mais pessoas na fila, menos eu podia conversar. Mesmo assim, era como se um mar de energia positiva viesse na minha direção. Em vez de se incomodarem ao verem um rosto diferente na sua rotina matinal, eles me recebiam de braços abertos.

Na minha pressa de servir o próximo cliente, dei 6 dólares em vez de 16 para uma jovem de aparência profissional, que carregava um laptop numa bolsa a tiracolo.

– Mil desculpas – falei.

– Não se preocupe – ela se deu ao trabalho de dizer.

Na Starbucks, parecia haver um acordo tácito entre parceiros e clientes: todos deveriam ser tratados com respeito e dignidade. Nunca tinha visto um ambiente de trabalho como aquele. Mesmo as melhores companhias que conheci, apesar de gastarem meses e um monte de dinheiro escrevendo e imprimindo declarações de missão pomposas, nunca praticavam aquilo que pregavam.

Bianca chegou às 6h30 em ponto. Ela me deu um sorriso meigo enquanto andava até sua registradora. Bianca era pequena e não me parecia ter mais do que 19 anos, mas era muito melhor do que eu em dar o troco e pedir bebidas. Era maravilhoso tê-la ao meu lado.

Quando Joann chegou às 9h, a loja estava transbordando de gente.

Nós três trabalhamos nas caixas registradoras, enquanto Crystal continuava a fazer os *espressos* no bar. Ela nunca parecia ficar desanimada, apesar da fila interminável e de ter que ouvir três pessoas gritando pedidos ao mesmo tempo. Éramos um coral de café: "Venti Iced Latte Desnatado; Tall Mocha Branco Descafeinado; Grande Breva Vanilla Latte; Tall Cappuccino Duplo", gritávamos, em nosso trio harmônico à base de cafeína.

– Tire 10 minutinhos – gritou Crystal para mim, certa hora. A cada duas horas de trabalho, você podia descansar um pouco. Fiquei grato por sair da linha de frente por um instante e fui para os fundos.

– Ei, Mike – chamou Joann. – Algum doce quebrado hoje?

– Não sei – respondi. Tinha estado tão ocupado tirando-os da embalagem e os arrumando que nem percebi se havia algum danificado.

– Ajude-o a preencher o formulário – disse Crystal.

Joann veio na minha direção, e fomos juntos para os fundos.

– Quando for desempacotar os doces, você tem sempre que conferir se tem alguma coisa danificada, porque podemos ligar para a empresa e conseguir crédito com eles.

Joann falava num tom de voz brando, tranqüilizador. Eu gostava da maneira gentil como ela me instruía.

– Agora – ela prosseguiu –, você viu alguma lista junto com os doces que desembalou?

– Não vi nada.

– É porque você devia estar com muita pressa – disse Joann, olhando em volta. Então procurou dentro da lixeira que eu usara para jogar os papéis fora. Veio com a lista de doces impressa em uma folha de papel grande.

Ela ajeitou seus óculos novos.

– Vamos conferir esta lista – disse, pegando uma caneta.

Repassamos os doces, conferindo se estavam todos perfeitos. Havia um bolinho de framboesa danificado.

– Vamos dividir este – falou Joann, sorrindo.

Cada parceiro tinha seu doce favorito. Joann adorava bolinhos de framboesa. Bianca tinha uma queda pelos brownies de *espresso*. O preferido de Crystal era a barra de caramelo com amêndoas. Para mim, era duro resistir aos biscoitos com gotas de chocolate.

Por volta das 10h, Kester chegou para substituir Crystal. Ele me deu um sorriso largo e assumiu o bar. Como Crystal, não parecia ser problema para ele preparar as diversas combinações de 18 bebidas. Continuava relaxado, mesmo gritando "Venti Cappuccino Extra Dry; Tall Latte Duplo; Grande Vanilla Latte Desnatado sem Açúcar; Tall Caramel Machiato Descafeinado; Tall Mocha Branco sem Chantilly" e todos os outros Lattes, Cappuccinos, Doppios e Macchiatos. Então, à medida que a manhã se aproximava do fim e os clientes mais jovens chegavam, começaram os pedidos de Caramel Iced Frappucinos, Café, Mocha e todos os demais sabores que faziam um enorme sucesso no verão.

Tirei minha meia hora de almoço – pareceram cinco minutos – e então voltei ao meu posto para trabalhar duro até o fim do meu turno no começo daquela tarde. Tirei meu avental verde e desci até o porão, para juntá-lo às roupas sujas. Tinha sobrevivido ao meu primeiro dia abrindo a loja. Aquilo fez os touros em disparada parecerem moleza.

Além de ser o lugar onde a roupa suja e o lixo eram deixados para serem coletados mais à noite, o porão também era um lugar para onde as pessoas iam quando queriam ficar sozinhas por alguns minutos.

Enquanto descia as escadas, percebi que Crystal estava lá no canto, falando ao celular. Não quis incomodá-la, mas tinha que passar por ela para jogar meu avental no saco de roupas sujas.

Ela fechou seu celular, balançou a cabeça e passou a mão pelo seu cabelo preto. Não pude deixar de perceber que estava chorando.

Não quis me intrometer, mas também não poderia ficar mudo diante do seu sofrimento.

– O que aconteceu?

Crystal suspirou.

– É Winston. Meu primo. Ele teve que ser internado na emergência... Estão achando que pode ser coração.

– Que dureza – falei estupidamente. Meu comentário fez Crystal parecer ainda mais angustiada. Eu queria ajudar. Tive uma idéia. O Dr. Cohen vivia enchendo minha paciência para que eu me exercitasse mais. Era obcecado por medicina preventiva. No entanto, naquele caso, sua atitude carinhosa porém durona talvez fosse perfeita. Ele saberia arrancar a verdade dos funcionários da sala de emergência. Saberia o que fazer. – Posso ligar para o meu médico. Ele é um chato, mas entende muito dessas coisas; talvez possa ajudar o seu primo.

– Winston é obeso... sempre foi. Tem pressão alta... Não precisa incomodar seu médico, tem um monte de médicos no hospital.

– Mas esse cara é ótimo em passar por cima de toda aquela baboseira que alguns hospitais empurram pra cima da gente. – Não conseguia colocar de outra forma. – Ele vai descobrir rápido qual o verdadeiro problema e fazer algo a respeito.

– O.k. – disse Crystal, com relutância.

Liguei para o consultório do Dr. Cohen.

A secretária dele atendeu.

– Moira, aqui é Michael Gill. O Dr. Cohen está?

– Ele está de férias.

– Férias?

– Sr. Gill, estamos em agosto.

– É, bem... Mas onde ele está?

– Em casa.

– Onde?

– No apartamento dele na cidade. Você sabe que ele detesta sair daqui.

– Moira, você me faria o grande favor de me dar o número dele?

Consegui o número dele.

O Dr. Cohen atendeu no primeiro toque.

– Alô.

– Alô. Doutor, desculpe incomodá-lo...

– Quem fala?

– Michael Gill...

– Como estão os exercícios? Está fazendo aqueles alongamentos que eu mandei você fazer toda manhã? Quebrou alguma coisa?

– Não, estou ligando por causa de uma amiga. Um primo dela acabou de ser levado para a emergência, e seria uma ajuda e tanto se você pudesse dar uma ligada para lá e descobrir qual é o problema dele.

– Agosto é a pior época para se estar numa emergência em Nova York. Qual o nome dele?

Olhei para Crystal.

– Winston Grove – disse ela. – Ele está no hospital Mt. Sinai.

Repeti o nome para o Dr. Cohen.

– Aquilo pode ficar um verdadeiro zoológico – disse o Dr. Cohen. – Não é muito longe daqui de casa. Vou dar um pulo lá. Me dê o telefone da sua amiga.

Dei o número do celular de Crystal. Todos os gerentes das lojas da Starbucks sempre dão seus celulares para os parceiros, para casos de emergência.

– Faça seus exercícios – disse o Dr. Cohen, desligando em seguida. Senti uma onda de gratidão pelo meu médico.

Crystal olhou para mim, limpando suas lágrimas, sem grandes esperanças. (Soube mais tarde que o Dr. Cohen ajudou a resolver o problema. Winston tinha mesmo pressão alta e estava com um pouco de taquicardia, mas o Dr. Cohen disse a Crystal que, se ele fizesse uma dieta e um pouco de exercício, ficaria bem.)

– Obrigada, Mike – disse Crystal, depois que terminei minha ligação.

Ela subiu as escadas do porão e então se voltou para mim.

– Você se saiu bem abrindo a loja hoje – ela disse, e então foi embora.

6

O SOCO DE UM MILHÃO DE DÓLARES

"Try a little tenderness..."[*]
– verso de uma música cantada por Otis Redding, tocada durante o fim do expediente na Starbucks

SETEMBRO — OUTUBRO

Mais de um mês se passou, e comecei a ficar mais confiante em relação à Starbucks. Cuidar da abertura da loja com Crystal foi um grande progresso para mim e eu já estava mais acostumado a pedir as bebidas e puxar conversa ao mesmo tempo – embora ainda cometesse um monte de erros.

Então um dia, enquanto preparava a escala da semana seguinte, Crystal me disse:

– Já está na hora de você fechar a loja, Mike.

Ela podia ver pela expressão no meu rosto que fiquei preocupado. Ainda não tinha perdido o hábito de temer qualquer novo desafio.

– Não se preocupe – prosseguiu Crystal. – Você vai fechá-la com Kester. Ele é o melhor nesse quesito.

O outono parecia ter chegado mais cedo do que nunca naquele ano, com os dias ficando mais curtos. Tremi um pouco enquanto esperava por meu trem. Em parte pelo frio, mas também porque estava indo examinar meu tumor. Só precisava chegar ao trabalho às 20h30, então decidi usar o dia para ir fazer outra ressonância magnética. A secretária do Dr. Lalwani tinha ligado

* Numa tradução livre: "Tente um pouco de carinho..." (*N. do T.*)

várias vezes para se certificar de que eu iria marcar uma consulta. Fazia mais de seis meses que ele me dera a notícia chocante de que havia um "pequeno tumor" na base do meu cérebro.

Contara aos meus filhos sobre o tumor – frisando que não era terminal e que não havia nada a fazer, por ora. Ainda assim, sabia que eles estavam preocupados.

No entanto, não contara a Crystal ou aos meus outros parceiros sobre ele. Não queria que sentissem pena de mim. Minha confiança crescente e meu prazer em trabalhar com eles se baseavam em parte no fato de que meus parceiros não eram condescendentes comigo nem faziam concessões especiais – apesar de eu ser tão mais velho. Entendi que tinha recebido privilégios durante toda a minha vida adulta, e não queria mais aquele status especial. Certa vez, na JWT, fizeram uma entrevista com todas as pessoas que trabalharam comigo. Fiquei surpreso quando elas disseram que tinham medo de mim. Eu costumava me considerar um "ditador benevolente". Obviamente, meus funcionários não me achavam tão bonzinho assim.

Na Starbucks, meus parceiros não se importavam com meu passado, idade, educação ou habilidade de criar "campanhas publicitárias de sucesso". Lá, a pressão era tão grande que havia uma espécie de democracia instantânea – não havia tempo para nada além da igualdade de oportunidades para se fazer o trabalho de forma correta e rápida. Era preciso pegar depressa o ritmo e trabalhar em equipe, ou a coisa não daria certo para ninguém. Eu adorava a sensação de ser apenas mais um integrante de um time que funcionava bem – nada de tratamento especial para mim.

Eu também achava que, se contasse aos meus parceiros sobre o tumor e sobre como ele dificultava minha audição, eles naturalmente se compadeceriam de mim e tentariam me compensar de alguma forma. Ou então, duvidariam da minha capacidade de ajudá-los, num momento em que eu ainda estava tentando provar o meu valor, o que seria pior ainda. Tinha certeza de que não falariam nada diretamente, mas aquele tipo de dúvida minaria a confiança deles. Eu certamente reagiria daquela maneira se um parceiro me dissesse que tinha um problema de audição. Ouvir era uma parte essencial de todo o trabalho. E eu sentia orgulho de, apesar da minha audição comprometida, conseguir atender aos pedidos tão bem quanto qualquer pessoa e puxar conversa na caixa sem titubear. Mas precisava admitir que perdia algumas coisas quando a música estava alta e a máquina de Frappuccino triturava o gelo. Fazia um esforço extra para me concentrar e ouvir todos os pedidos corretamente.

Um último motivo pelo qual não queria contar sobre o tumor para os meus parceiros era que eu mesmo não queria pensar nele. Às vezes, antes de dormir, conseguia ouvir o zumbido no meu ouvido esquerdo. Odiava o fato de, entre tantos milhões de pessoas no mundo, ter sido eu a sofrer daquele mal raro. Mas também me sentia grato por não ser pior: eu poderia estar morto, ou morrendo. Minha filha Bis me dera um rádio, e eu ouvia música clássica para afastar o zumbido para poder dormir.

Esperava poder adiar a temida operação mais uma vez.

A secretária do Dr. Lalwani marcara a ressonância magnética e uma consulta com ele em seguida, para que tudo pudesse ser feito dentro de poucas horas. A ressonância foi indolor, mas depois tive que aguardar na sala de espera do consultório, numa expectativa angustiante. Depois de algum tempo, ele saiu do consultório e me viu ali. Provavelmente também notou a expressão de agonia no meu rosto e meu pé batendo com nervosismo no chão.

– Vá até o fim do corredor para fazer um exame de ouvido – ele disse.

Desci o corredor com obediência.

Dizem que médicos são como deuses. Ele estava com meu destino nas mãos. Eu seria o mais obediente possível.

– O Dr. Lalwani me mandou aqui para fazer uma audiometria – disse à senhora que estava sentada à mesa.

Eles me examinaram imediatamente. Era óbvio que o nome dele era mágico naquele hospital.

Tentei de todas as formas enganar a pessoa que estava fazendo o exame, gritando um "sim" convicto mesmo quando não ouvia nada, porém, ela acabou dizendo que eu estava escutando apenas 20% do ouvido esquerdo.

– Mas meu ouvido direito é perfeito! – falei, tentando ver aquilo pelo lado positivo. Ver o lado positivo das coisas costumava ser minha profissão.

– Ele não é perfeito – respondeu a jovem, conferindo o gráfico e ignorando minha tentativa de ser otimista –, mas é normal para a sua idade.

"Normal para a minha idade." Odiava aquelas palavras. A Starbucks me deixara cada vez mais confiante de que poderia quase acompanhar o ritmo de pessoas uma ou duas gerações mais jovens, e lá estava ela, recordando-me o fato medonho de que eu tinha 64 anos.

Arrastei os pés pelo corredor, levando os resultados da audiometria de volta para o Dr. Lalwani.

Ele me conduziu até seu consultório imediatamente.

Estava sorrindo. Porém, àquela altura já sabia que o Dr. Lalwani estava sempre sorrindo. Ele sorrira ao me dar a notícia chocante de que tinha um tumor raro na base do meu cérebro. Mas será que – vã esperança – daquela vez seu sorriso indicava confiança em relação aos resultados da minha ressonância magnética?

– Boas notícias – disse ele, dando um tapa na ressonância que estava presa ao quadro de luz montado na parede do seu consultório. – O tumor praticamente não cresceu.

– E o que isso significa?

– Quanto menor o tumor, mais suave pode ser a operação.

– Suave.

– Digamos que um tumor menor facilita as coisas.

– Mas o senhor ainda vai precisar abrir minha cabeça?

– Vou.

– E o senhor disse que era uma operação delicada.

– Qualquer operação no cérebro é delicada.

Ele ainda estava sorrindo. Compreendi que o Dr. Lalwani era uma daquelas pessoas que vivem num estado permanente de felicidade. Estava claro que tinha seguido seu dom. A única coisa esquisita era o dom dele ser abrir o crânio das pessoas.

– Mas se ele – eu não conseguia dizer a palavra "tumor" – não cresceu muito, talvez não precisemos fazer a operação agora.

O Dr. Lalwani olhou novamente para a minha ressonância.

– Correto – falou ele devagar. – Poderíamos ficar mais alguns meses em observação atenta.

Já tinha ouvido o termo "observação atenta" antes. Na época, me parecera um indicador de más notícias. Porém, naquele instante, adorei ouvir aquele clichê médico e me agarrei àquela frase como uma pessoa se afogando se agarra a qualquer tipo de apoio.

– Por mim, tudo bem – falei. Queria dizer: "Maravilha!", mas não quis parecer muito entusiasmado. Não queria que o Dr. Lalwani percebesse que eu faria praticamente qualquer coisa para não entrar na faca.

– E a audição do senhor não se deteriorou significativamente – ele disse, mais para si mesmo do que para mim, olhando para minha audiometria.

– Não, não – apressei-me a dizer. – Não se deteriorou nem um pouco. Eu consigo acompanhar todos aqueles pedidos complicados na Starbucks.

– Starbucks?

Tinha me esquecido de que não mencionara meu emprego. Ele sabia muito pouco a meu respeito. Para o Dr. Lalwani, eu era claramente apenas mais um candidato a uma operação de sucesso.

– O que o senhor faz lá? – perguntou, começando a guardar minha ressonância e se preparar para o próximo paciente. – É gerente de alguma loja?

– Não, só trabalho lá.

O Dr. Lalwani me encarou. Aquilo não fazia sentido para ele, mas, obviamente, ele também não tinha tempo para procurar entender.

– O.k. – disse, voltando a se concentrar em mim como paciente, não como um parceiro da Starbucks –, vou pedir para Lisa ligar para o senhor e marcar outra ressonância magnética daqui a alguns meses.

Levantei-me rapidamente e apertei a mão dele.

Não é impressionante como, na vida, em um minuto você se sente devastado por alguma notícia, mas então, segundos depois, sua necessidade louca de sobreviver a qualquer custo entra em cena, e você descobre uma maneira de virar o jogo na sua cabeça? Assim que fiquei sabendo que, pelo menos por ora, não iria passar por uma operação de grande porte, fiquei aliviado. Quase feliz, devo admitir!

Saí depressa do consultório, antes que ele mudasse de idéia. Eu tinha pavor de hospitais e operações. Sabia também que seria difícil para mim, e para meus parceiros, se eu tivesse que largar meu emprego naquela altura. Estava apenas começando a aprender como ajudar.

E ainda nem tivera a chance de fechar a loja!

Já era noite quando cheguei à loja... passava das 20h. Meu turno ia das 20h30 até 00h30.

Kester estava lá e me cumprimentou com um sorriso largo. Crystal estava nos fundos, mas, ao sair, me puxou de lado.

– Às vezes, alguns clientes criam problema na hora de fechar – disse ela, na sua voz profissional, séria. – Faça o que fizer, nunca encoste um dedo num cliente.

– Encostar num cliente? – Fiquei surpreso e um pouco perturbado. O que ela queria dizer?

– Estou falando sobre tentar tirar alguém da loja, ou mesmo pegar no braço da pessoa. Uma vez, um parceiro deu um soco num cliente que não queria ir embora... Nós fomos processados em um milhão de dólares, e eu tive que despedi-lo. Nada de socos de um milhão de dólares.

Quase ri. Será que ela não sabia com quem estava falando? Eu era covarde de nascença.

Mas me limitei a dizer:

– Prometo. Nada de socos.

Sorri ao me lembrar da minha única experiência na vida com brigas.

– Qual é a graça? – disse Crystal ao ver meu sorriso.

– Nada. Estava só me lembrando de quando vi Muhammad Ali lutar.

– Você viu Ali lutar? – Kester se aproximou para entrar na conversa.

– Eu vi sua primeira luta profissional em Nova York, contra Doug Jones.

– Maneiro – disse Kester.

– Doug Jones foi a primeira luta dele, depois de ganhar a medalha de ouro nas Olimpíadas. Foi bem aqui em Nova York, no Madison Square Garden.

– Olha – interrompeu Crystal, claramente desinteressada na conversa sobre boxe –, só estou pedindo para você ter cuidado, Mike. O.k.?

– Entendido.

– Até mais. – Ela se encaminhou para a porta. Naquela noite, havia um outro carro preto de luxo à sua espera.

– O que é aquilo? – perguntei a Kester.

– A carona de Crystal. Ela só anda de primeira classe. – Kester sorriu e então gritou: – Ei, Charlie, vem cá. Mike está contando uma história sobre Muhammad Ali.

Charlie se juntou a nós. Felizmente, não havia nenhum cliente esperando para ser atendido.

– A primeira luta profissional de Ali – falei –, a poucos quarteirões daqui. Ele ganhou em 10 assaltos.

Notava pela avidez em seus olhares que eles queriam mais. Provavelmente nem eram nascidos na época em que Ali ainda lutava.

– Ali tinha dito que iria "pairar como uma borboleta e picar como uma abelha".

– Maneiro – disse Charlie. – Parece até um rap. – Charlie gostava de música e, para ele, tudo podia parecer um rap.

– Por aí – falei. – Ali era certamente um poeta.

– Como assim? – perguntou Charlie.

– Ele escrevia poemas sobre suas lutas. Fez um para mim. Eu trabalhava numa revista e pedi um poema para ele. Então, lá no vestiário, Ali simplesmente inventou um.

– "O velho Doug Jones parecia uma galinha gordona", Ali dizia no poema.

Kester e Charlie começaram a rir.

– "Mas ele me enganou: levou 10 assaltos para beijar a lona."

– Gostei – disse Charlie. – Nada mau para um improviso.

– Ele foi o boxeador mais rápido e inteligente de todos os tempos – eu disse.

Eles gostaram da história, mas o tempo em qualquer turno da Starbucks era muito curto – sempre havia trabalho a fazer.

Comecei a limpar o *espresso bar*, e Kester disse:

– Mike, você pode cuidar da frente da loja?

– Claro – respondi.

Fomos até os fundos. Kester me deu um esfregão e me mostrou como encher o balde com água quente e um sabão especial que limpava bem o chão e secava relativamente rápido.

– Agora você está pronto – disse ele, me ajudando a empurrar o esfregão e o balde até a entrada da loja. O balde tinha rodinhas, então foi deslizando sem dificuldade. – Esfregue a entrada a noite toda para não acumular na última hora. Além disso, mantenha todas as mesas com guardanapos, açúcar e adoçante.

Kester deu um tapinha nas minhas costas para me incentivar. Ele nunca parecia duvidar da minha capacidade de fazer o que me pedia. Era importante para mim o fato de ele me tratar como se eu fosse apenas outro cara da sua idade.

No entanto, o lixo foi um desafio físico para mim. Havia cerca de 20 sacos cheios de restos de café e outras coisas. Eram muito pesados. E eu tinha que subir uma escada de ferro íngreme. Dava para sentir meu coração esmurrando o peito enquanto os carregava pela subida quase vertical, e comecei a suar. Disse a mim mesmo que aquilo me faria bem: uma espécie de exercício aeróbico. Tentei sorrir, porém o máximo que consegui foi uma careta por conta do esforço de carregar aqueles sacos pesados.

Lutei com a carga enorme dos sacos de lixo e estava chegando à metade da escada quando quase atropelei Charlie, que vinha descendo.

– Posso ajudar? – perguntou.

– Deixa comigo – falei, na defensiva, embora aquela fosse, no fundo, uma gentileza da parte dele. Morria de medo de ser considerado velho demais para qualquer tipo de trabalho. Se fechar a loja significava subir uma escada íngreme carregando um monte de sacos de lixo pesados, eu queria provar que não precisava de ajuda.

Continuei, percebendo que, em muitos aspectos, aquele trabalho estava além das minhas capacidades.

Tentei correr dos fundos da loja até o meio-fio com os sacos de lixo, procurando recuperar o tempo que perdi lutando para subir as escadas. Quando cheguei à porta, inclinado para um lado por conta do peso do saco, um cliente a abriu para mim. Já tinha notado que muitos clientes tratavam os parceiros com uma cordialidade especial. Era como se não quisessem nos ver trabalhando duro demais. Aquilo era comum no comércio de uma forma geral? Será que antigamente, no papel de cliente, eu tinha aberto alguma vez a porta para um funcionário? Por que eles faziam aquilo? Teria algo a ver com o fato de estarem se dando ao luxo de uma bebida ou café caros? Será que tinham alguma espécie de culpa por conta do prazer que sentiam com aquilo e queriam se certificar de que não estavam abusando de nós?

Era comum fregueses me pararem quando eu estava limpando uma mesa para perguntar:

– E eles tratam você bem aqui?

– Muito bem – respondia com sinceridade. – As pessoas são ótimas, o café é ótimo... e os benefícios são ótimos.

Os clientes sempre sorriam ao ouvir isto. Talvez quisessem que a experiência de estar na Starbucks fosse tão positiva para as pessoas que as serviam quanto o era para elas. Seguramente eu jamais tinha sido tratado com tanta atenção por nenhum dos meus clientes durante meus 25 anos como publicitário. Mesmo quando tive meu próprio e pequeno negócio, os clientes sempre iniciavam a conversa com um mecânico "Como vai?", sem esperar receber uma resposta de verdade antes de começar a falar de negócios. Estavam pouco se importando. Por outro lado, com os clientes da Starbucks, eu sentia que estavam de fato interessados. Se eu ou outros parceiros respondêssemos negativamente, tinha a sensação de que eles estariam prontos para brigar por nós.

Fosse pelo que fosse, fiquei muito agradecido a quem quer que estivesse abrindo a porta para mim naquele instante, enquanto eu cambaleava carregando três sacos pesados de lixo nos braços.

– Obrigado – falei, olhando rapidamente para ele.

– Michael Gates?

Ele sabia meu nome e sobrenome. O nome pelo qual minha família e velhos amigos me chamavam. O pessoal da Starbucks – tanto os parceiros quanto os clientes – me chamava de Mike. Então, aquela era uma pessoa da minha antiga vida. Fiquei envergonhado. Fazia algumas semanas que vinha tentando memorizar não só o nome das bebidas, mas também o nome dos clientes mais assíduos, mas naquele instante tive que olhar com mais atenção, parando no meio do caminho até a porta com meus sacos de lixo.

– Benjamin? – perguntei.

– É você! – ele confirmou com prazer. Era Benjamin Zucker, um amigo que eu não via desde Yale. Ficamos amigos no nosso primeiro ano na faculdade. Na época, Benjamin parecia encarar Yale com uma calma inigualável. Eu carregava nas costas as várias gerações da minha família que haviam freqüentado aquela faculdade antes de mim. Não podia fracassar. Para Benjamin, era como se aquela possibilidade nem existisse. Ele era o primeiro da sua família a entrar em Yale, ou em qualquer faculdade dos Estados Unidos. Para ele, tudo aquilo era uma grande aventura.

E lá estava eu, encontrando-o novamente, com três sacos de lixo nos braços, 42 anos depois.

– Não acredito que você está aqui – começou a falar Benjamin, surpreendendo-me com o que disse em seguida: – Esta é a Starbucks do meu bairro!

Não tinha dúvidas de que ele diria que não acreditava que eu estava trabalhando na Starbucks, carregando lixo. Em vez disso, parecia encantado por eu estar trabalhando tão perto da sua casa.

– Moro a poucos quarteirões daqui – prosseguiu Benjamin.

– Que maravilha – falei. – Só um instante.

Terminei minha tarefa de levar os sacos de lixo para a rua.

Com o canto do olho, vi Kester me observando. Ele sempre parecia querer se certificar de que eu estava fazendo a coisa certa e decidi que seria melhor lhe apresentar meu velho – e reencontrado – amigo.

– Kester, este é Benjamin, um velho amigo.

Kester pareceu surpreso. Ocorreu-me que talvez fosse difícil para ele imaginar que aquele cara, um cliente bem vestido do bairro, era um velho amigo meu. Benjamin parecia bem-sucedido, o tipo de pessoa que não pertenceria ao meu mundo.

Benjamin também parecia 10 anos mais jovem do que eu, então talvez aquilo o tenha deixado confuso.

– Legal – foi tudo o que Kester disse.

– Estou trabalhando – falei para Benjamin, me preparando para voltar para o porão –, então acho que não vou poder conversar com você agora.

– A que horas você sai? – Benjamin não estava disposto a ser descartado tão facilmente.

– Só depois da meia-noite.

– O.k., então nos falamos outra hora. Venho sempre aqui.

– Você quer um café? – perguntei, tentando não ser mal-educado. Por que deveria tratar Benjamin pior do que aos outros clientes? Porque estava constrangido, ora!

– Um Venti Latte – respondeu Benjamin.

Ele parecia à vontade naquela situação toda, enquanto eu achava aquilo embaraçoso. Kester começou a preparar seu pedido.

– Este é o meu número – falou Benjamin, entregando-me um cartão de visitas grande. – Me ligue para a gente tomar um Latte. Moro a dois minutos daqui.

Gostei da tranqüilidade com que Benjamin encarou o fato de eu estar trabalhando na Starbucks, e da maneira positiva como ele recebeu aquela descoberta. Meus outros amigos do passado a quem eu contara sobre meu emprego tinham reagido de duas formas: ou com uma espécie de silêncio chocado, da mesma forma que você reagiria se alguém lhe contasse que está com câncer, ou, o que era ainda mais doloroso para mim, com uma espécie de incentivo condescendente:

– Que ótimo. Dizem que a Starbucks é uma empresa excelente. Você vai ser gerente de alguma loja, ou vai fazer o marketing para eles?

– Não, estou trabalhando como atendente, caixa, na limpeza...

– Que ótimo – eles se apressavam em dizer, sem querer ouvir os detalhes sórdidos.

Trabalhar em um cargo de menor importância na Starbucks era sinal de que eu tinha caído da rede que deveria sustentar a classe média alta branca. Era como se minha doença da pobreza fosse contagiosa. A maioria dos meus amigos mal podia esperar para desligar o telefone.

Desci até o porão, deixando Benjamin conversando com Kester. Eu lembrava que Benjamin sabia falar sobre tudo com praticamente qualquer pessoa. Ele tinha nascido em Nice, fugido dos nazistas, e sua família saíra da Europa com a vida por um fio. Mas ele parecia ver aquele passado terrível como uma grande aventura. Que dom maravilhoso, pensei, enquanto descia de volta aquelas escadas de ferro, conseguir encarar tudo com paz de espírito e ter senso de humor em relação a um mundo caótico como o nosso. Em Yale, nem lhe passava pela cabeça que alguém pudesse "fracassar" na vida. A vida era o que era, com todas as suas reviravoltas bizarras.

Percebi que havia passado grande parte da minha vida tentando não fracassar. Tentando corresponder às grandes expectativas dos meus pais. Morrendo de medo de decepcionar minha família. Naquele instante, vi que tudo aquilo tinha sido um fardo terrível para mim. E uma burrice enorme!

Apanhei mais alguns sacos de lixo e subi de volta as escadas. Quando cheguei à frente da loja, fiquei aliviado ao ver que Benjamin tinha ido embora. Não sentia mais vergonha do meu emprego. Mas ainda não me sentia confiante o bastante para convidar meus filhos a me visitar no trabalho. Ainda estava preocupado demais com a impressão que causaria.

Quando acabei de cuidar do lixo, dei alguns passos orgulhosos para trás e olhei para a pilha enorme de sacos que tinha erguido na esquina da 93 com a Broadway. Fiquei surpreso com a satisfação peculiar que senti.

Enquanto corria de volta para a loja, disse a mim mesmo que tentaria rir mais. Ainda havia muitas coisas para fazer! Prometi a mim mesmo que deixaria de ser tão duro comigo mesmo. Por que tanta preocupação? Eu estava trabalhando – com afinco – e aprendendo uma profissão... Como quase todo o resto das pessoas no mundo.

Eu não era um santo. E nem um egoísta. Era só Mike, um cara que precisava sobreviver, e me sentia grato pela sorte de ter arranjado um emprego como aquele.

Varri o chão uma, duas, três, quatro vezes. Quase todas as vezes que varria, encontrava algo novo, como migalhas de doces ou canudos caídos no chão. Ainda estávamos com muitos clientes, e eu tinha que limpar a sujeira depois que eles fossem embora. Kester queria que eu esfregasse o piso e fizesse a limpeza depois que fechássemos as portas – e rápido. Quanto mais limpo o chão estivesse antes de esfregar, melhor eu faria o meu trabalho.

Pouco antes da meia-noite, Kester veio falar comigo. Ele colocou a mão no meu ombro.

– Posso lhe pedir um favor, Mike?

Aquilo me fez lembrar novamente de como gostava daquele estilo exclusivo da Starbucks – em vez de ficar mandando nas pessoas, pedir com educação. Quando eu era um dos chefões na J. Walter Thompson, eu aparecia no fim do expediente de uma sexta-feira e falava para as pessoas: "Vocês têm trabalho para este fim de semana."

Nunca perguntava nada a elas, nem sugeria que estavam me fazendo um favor ao trabalhar tão duro. Era parte do código dos machões nunca dar explicações, mas apenas exigir obediência imediata.

Na Starbucks, era muito diferente.

– Claro – disse a Kester, pronto para ajudar.

A Starbucks parecia ter criado uma cultura que tentava conduzir os parceiros com uma certa ternura. Era um estilo delicado, raro de se ver no meio tão exigente do comércio.

– Charlie e eu vamos cuidar das registradoras e do *espresso bar* quando chegar a hora de fechar – prosseguiu Kester. – Será que você poderia limpar o banheiro? Crystal fala que nunca viu alguém limpar um banheiro tão bem!

Ele me deu aquele seu sorriso largo.

Eu ri.

– Beleza! – respondi, sentindo um prazer surpreendente.

Eu, Michael Gates Gill, limpava um banheiro como ninguém. Ainda não sabia preparar um *espresso*, tinha que lutar para carregar sacos de lixo pesados e ainda não me sentia à vontade como caixa, mas tinha certeza de que conseguia deixar o banheiro brilhando. Já estava acostumado a fazer aquilo.

Juntei o esfregão e o balde, minha vassoura e dois produtos de limpeza diferentes: um spray desinfetante para o espelho e para a lixeira e um detergente para limpezas pesadas para a privada. Armado até os dentes para a tarefa, me aproximei da porta do banheiro. A tranca, no entanto, dizia: "Ocupado."

Fiquei irritado. Já eram 23h30. As pessoas tinham entrado e saído do banheiro a noite inteira. Aquilo era parte importante da política de boas-vindas da Starbucks. Mas eu precisava entrar. Imediatamente. Novamente, senti o tempo passando. Se conseguisse limpar o banheiro naquele instante, seria uma coisa a menos para me preocupar nos últimos minutos de fechamento da loja. Estava exausto depois de ficar em pé desde cedo. (Descobri que um dos problemas de se trabalhar no horário de fechamento era que, se você tivesse uma vida normal, geralmente já estaria cansado quando chegasse à loja para começar seu turno.)

Esperei. Dez minutos se passaram. Reabasteci os grãos de café, o balcão de condimentos e varri o chão outra vez, fazendo questão de catar cada migalha de cada cantinho. Conferia meu relógio e a porta a cada minuto, mas a tranca continuava dizendo "Ocupado". Finalmente, bati à porta.

– Calma! – gritou uma voz masculina lá de dentro. Seja lá o que ele estivesse fazendo, certamente não deixaria a limpeza do banheiro mais fácil para mim.

Quase 20 minutos depois, a porta finalmente se abriu e um garoto saiu carregando um laptop e arrastando uma mochila enorme. O que ele estava fazendo lá dentro?

Quando olhei com mais atenção, vi que ele não era um garoto; estava apenas vestido como um. Com sua barba por fazer e cabelo loiro longo, parecia um hippie, mas seu rosto era cheio de vincos e seus olhos azuis brilhavam de raiva. Era jovem, mas precocemente envelhecido. Cheirava a fumaça de cigarro, entre outras coisas. Suspeitei que estivesse tomando um pico ou usando alguma outra droga no banheiro.

Ele olhou para mim como se eu fosse algum tipo de inseto.

– Vai na fé – disse ele com um sorriso sarcástico, passando por mim e seguindo para uma mesa de canto.

Àquela altura, já havia poucos clientes na loja.

Entrei correndo no banheiro. Estava um caos. Havia papel higiênico por todo lado. Culpei o jovem-velho por tudo e limpei com uma diligência ardorosa. Lavei o espelho e desinfetei a pia e a privada. Esvaziei a lixeira e lavei os pisos e as paredes. Limpei a porta e desinfetei as maçanetas. Troquei o rolo de papel higiênico. Levei mais de 20 minutos e sabia que já estava atrasado. Ainda precisava conferir uma última vez o balcão de condimentos e me certificar de que havia o suficiente de cada açúcar. Tínhamos cinco tipos de açúcares, e todos precisavam ser trocados; isso significava uma ida ao porão, o que tomaria tempo. Também tinha certeza de que precisaríamos de novas embalagens de café na parede dos grãos e de mais guardanapos. E ainda precisava limpar as janelas, a porta e o vidro do balcão de doces. Aquele problema com o banheiro tinha me custado um tempo precioso que eu não podia perder.

Depois de terminar o banheiro, pedi as chaves para Kester.

– Qual o problema? – perguntou ele. – Ainda falta meia hora para a gente fechar.

– Eu sei, mas pensei em fechar o banheiro agora. Acabei de limpá-lo.

– Não podemos fechá-lo antes da loja. Mike, você está ficando bom nesta... Coisa toda de limpeza, mas não exagere! Vai dar tudo certo.

Kester notara minha impaciência quase patológica e, como um bom treinador, estava tentando me acalmar.

– Relaxe. Assim que o último cliente sair, você pode mandar brasa.

Meu relógio andava vagarosamente à medida que nos aproximávamos do horário oficial de fechamento, 00h30.

Finalmente, os ponteiros ficaram alinhados. Dei uma última varrida no chão. Todos os clientes tinham ido embora, à exceção de um.

Meu carma.

Andei até a mesa dele. O cara que tinha rido de mim e da minha ânsia de limpar o banheiro.

Ele estava com a cara enfiada no computador.

Tinha desfeito sua mochila e havia papel espalhado por todo canto.

– Estamos fechando – falei para ele, feliz por ter um motivo para enxotá-lo.

Ele não olhou para mim e continuou digitando no seu laptop.

– Senhor – falei, lutando contra todo tipo de propensão natural a gritar com ele. –, já passa de 00h30. Temos que fechar a loja.

Cheguei até a acrescentar um não muito sincero “sinto muito”.

Ao ouvir aquilo, ele ergueu os olhos.

– Sinto muito é o caralho, vê se não enche. Estou ocupado.

Fiquei olhando para ele.

Seus olhos azuis brilhantes fitavam os meus, mas pareciam olhar para muito além de mim.

Eu estava assustado. Eu era um covarde e nunca tinha brigado com ninguém – nunca.

– Sinto muito, senhor, mas precisa ir embora – falei. Embora estivesse com medo, sua atitude arrogante fez meu sangue ferver.

– Vá se foder – respondeu ele, voltando a olhar para a tela do computador.

Cheguei mais perto dele, lembrando-me de não tocá-lo. Não encostei nem mesmo na sua mochila. Porém, meu movimento, por mais acanhado e temeroso que eu estivesse, despertou algo nele.

Ele fechou o laptop com força. Em um gesto rápido, se levantou e puxou algo do seu bolso de trás. Uma idéia passou rapidamente pela minha cabeça: estaria ele tirando a carteira para tentar me subornar?

Porém, logo vi que estava enganado. Aquilo não era uma carteira. Era um canivete, que ele abriu com uma facilidade que demonstrava experiência. Vi o brilho do metal e fiquei atônito.

Não conseguia pensar. Estava petrificado. Peguei meu esfregão, talvez por um desejo inconsciente de me proteger dele.

– Mais uma porra de um passo – disse ele, com a voz ensandecida – e você está morto, velho de merda.

Aquilo me deu nos nervos. Odiava ser chamado de velho. Sobretudo naquele emprego. Principalmente naquele momento. Estava sendo desafiado a me manter no ritmo dos outros parceiros e tinha orgulho do fato de estar conseguindo.

Dei outro passo na direção dele e levantei o cabo do esfregão. O que eu pretendia fazer? Esfregá-lo até a morte?

Kester apareceu do nada.

– Ei, Mike – disse ele, dirigindo-se a mim –, Charlie está precisando de ajuda.

Kester nem olhou para a faca ou para o homem que a segurava, mas eu podia ver o louco olhando para ele. O tamanho e a força de Kester eram óbvios. E o tom grave de sua voz era ríspido. Nunca o havia escutado falar comigo daquela forma... Não que tivesse dito algo de errado, mas ele o falou com uma espécie de objetividade fria. Virei-me para sair dali, feliz por ter recebido aquela deixa. Meu coração estava disparado.

Tinha me afastado apenas alguns passos quando vi que o homem estava guardando sua faca e recolhendo suas coisas.

Kester o observou em silêncio.

Fui ajudar Charlie, que estava correndo para limpar o *espresso bar*, dançando alguma música que estava inventando na sua cabeça. Quando contei a ele o aconteceu, tudo já tinha acabado.

O cara foi andando para a saída e Kester, seguindo-o de perto como uma grande sombra, trancou a porta.

Kester e o sujeito não trocaram uma só palavra.

Eu estava chocado.

Perguntei a Kester como ele sabia que eu precisava de ajuda naquele momento.

– Tenho um sexto sentido para quando a coisa está ficando feia – ele disse. – O.k., comece a esfregar... Agora é contigo, Mike.

A voz de Kester voltou a ficar relaxada, e ele me deu um sorriso de incentivo.

Voltei para pegar o esfregão e o balde e trabalhei duro para deixar tudo o mais limpo possível. O esforço foi um grande alívio para mim, pois não me deu tempo para pensar no ocorrido. Não era fácil arrastar todas as mesas e cadeiras, esfregar o chão duas vezes para deixá-lo bem limpo e depois colocá-las de volta no lugar. Passar um pano em tudo uma última vez. Conferir se o balcão dos condimentos e a parede dos grãos estavam abastecidos. Estava suando em bicas quando Kester me chamou.

– O.k., Mike, vamos nessa. Tenho um metrô para pegar.

Tirei meu avental e desci até o porão.

Kester e Charlie estavam colocando suas roupas: bandanas, bonés grandes, calças folgadas e botas. Estavam completamente diferentes daqueles parceiros sorridentes com aventais verdes. Quando voltei lá para cima, estava acompanhado por dois caras que, algum tempo atrás, teria classificado de cantores de hip-hop ou de marginais – provavelmente os dois. Mas tinha descoberto que caras vestidos daquela forma também podiam ser outra coisa. Tinham vidas e paixões que eram tão ou mais completas do que as minhas. Charlie, por exemplo, parecia ter um monte de namoradas – e os olhos de muitas clientes brilhavam com a sua presença carismática.

– Hora de bater o ponto – disse Kester.

Ele deu uma conferida rápida em toda a loja, incluindo o banheiro, para se certificar de que estava tudo em ordem para o turno da manhã, antes de trancar a porta. Então, nós três corremos para o metrô.

– O expresso sai daqui a cinco minutos... Se eu perder, vou ter que esperar mais meia hora – disse Kester.

Eu estava indo para Times Square, no centro, para fazer a baldeação até a Central Station. Kester e Charlie estavam indo para a Rua 125. Mas ficamos esperando na mesma plataforma.

– Ei, Mike – disse Kester, agarrando meu ombro –, você fez um ótimo trabalho hoje.

Aquilo me encheu de orgulho.

O metrô para o subúrbio chegou rugindo à estação. Kester e Charlie entraram nele. O meu demorou mais 10 minutos.

Enquanto esperava, repassei na minha cabeça tudo o que tinha acontecido naquela noite. Percebi que poderia ter me metido em uma grande encrenca, apesar do aviso de Crystal para não entrar em atrito com ninguém. Prometi a mim mesmo que não deixaria minha ânsia de fazer um bom trabalho interferir no meu julgamento. Por que tinha ficado tão irritado com aquele cara da mochila? Porque queria fechar a loja... Mas tinha que admitir que fiquei irritado daquela forma por ele ter me desrespeitado.

Ficou claro para mim naquele instante que eu ainda não tinha internalizado o respeito que sentia pelos outros parceiros e pelo trabalho que fazíamos juntos. Se eles mereciam respeito, eu também merecia. Eu ainda era muito orgulhoso e arrogante... Ainda me ofendia com muita facilidade. O cara da mochila tinha errado, mas eu o encorajara a entrar em conflito comigo. Bastava ver a rapidez com que ele se acalmou quando Kester entrou em cena.

Cometera dois erros. Um era pensar que podia encarar qualquer um. O simples fato de trabalhar com Kester e Charlie não significava que eu era "safo" ou que podia me proteger no mundo real das ruas perigosas de Nova York.

Mas meu pior erro foi voltar ao antigo hábito de querer estar no controle da situação, de obrigar as pessoas a fazerem o que eu precisava que elas fizessem. O cara da mochila ameaçara minha sensação de que eu estava no controle e minha capacidade de fazer um ótimo trabalho.

Pare com isso, pensei. Você está apenas limpando uma loja da Starbucks, e não tornando o mundo mais seguro para a democracia ou descobrindo a cura para o câncer.

Abri um sorriso.

Alguns dos meus velhos amigos e familiares talvez pensassem que eu tinha desenvolvido um câncer ao despencar de tal forma da vida protegida e privilegiada que eles levavam, porém o encontro inesperado com Benjamin naquele dia me recordara que eu também havia caído, como Alice na toca do coelho, num mundo maravilhoso, no qual as pessoas podiam ser mais gentis, e o ambiente de trabalho mais agradável, do que eu acreditava ser possível. Admiti naquele instante que jamais teria encontrado aquele mundo novo se não tivesse ido à falência.

Eu não estava em uma viagem espiritual em busca do trabalho perfeito e de uma vida equilibrada: eu tinha caído na luta pela sobrevivência. O que era comum para a maioria das pessoas deste mundo, mas incomum para o príncipe mimado que eu tinha sido. Crystal me viu – do mesmo jeito que veria alguém se debatendo na água – e me estendeu a mão.

Deitado na cama, os pensamentos continuavam passando pela minha cabeça. Aquela cena assustadora com a faca sem dúvida tinha sido culpa minha, decidi. Preciso parar de me levar tão a sério, disse a mim mesmo.

Quem, na verdade, era o mais maluco? Um homem de 64 anos de idade que não conseguia abandonar sua sensação de poder nem quando estava limpando banheiros, ou um moleque revoltado que adoraria brigar com qualquer velho que tentasse agir como uma figura de autoridade?

Crystal e meus parceiros na Starbucks, como Kester e Charlie, tinham me dado uma chance de trabalhar, viver e enxergar as coisas de uma maneira diferente. O mínimo que eu podia fazer era ajudá-los, evitando ser tão arrogante e obcecado por controle quanto antes. Sim, era preciso admitir: eu adorava mandar as pessoas fazerem hora extra, ou até me trazerem um café... Era um péssimo chefe.

Estava na hora de me tornar um ótimo parceiro.

Prometi a mim mesmo que não me deixaria tomar pela ambição ou por um orgulho hipócrita em nada que fizesse a ponto de perder a sensatez novamente. Tinha que deixar para trás a minha antiga vida. Eu trocara meu terno risca-de-giz por um avental verde. A roupa de manda-chuva por um uniforme preto que dizia que eu estava lá para servir – e não para comandar.

Meus pensamentos começaram a se confundir delicadamente enquanto eu fechava meus olhos. E então adormeci.

7

TRANSFORMANDO FRACASSADOS EM VENCEDORES

"A maior ironia de se assumir um compromisso é isto ser algo extremamente libertador – seja no trabalho, no lazer ou no amor. Tomar essa atitude liberta você do jugo da autocrítica, do medo que gosta de se disfarçar e desfilar como se fosse hesitação racional. Comprometer-se com algo é fazer com que sua cabeça deixe de ser um obstáculo na sua vida."

– frase de Anne Morris, cliente nova-iorquina da Starbucks, impressa no copo de um Grande Caramel Macchiato

NOVEMBRO — DEZEMBRO

"A velhice não é para os fracos", já dizia Brooke Astor.

Muitos anos atrás, na minha antiga vida repleta de eventos sociais, eu a encontrava em inúmeras festas. Certa vez, quando ela estava com uns 97 anos, não pude deixar de dizer como ela estava ótima para sua idade. (Brooke adora ser elogiada por sua beleza, que é real, mas odeia quando ela é relacionada ao fato de ter chegado a uma idade tão avançada.) "Envelhecer exige de você um senso de humor cada vez maior", ela me disse. Lembrei as suas palavras e sorri, enquanto entrava no calor convidativo da minha loja da Starbucks naquela tarde fria e cinzenta. Comparado a Brooke, ainda sou um menino com muita vida pela frente!, disse a mim mesmo. Mas era absurdo me comparar à longevidade lendária daquela bela dama da sociedade: Mike Gill, trabalhando duro e com quase todos os músculos do corpo doloridos no fim de cada turno, não chegava nem perto de Brooke Astor!

Crystal me cumprimentou assim que entrei na loja.

– Mike, tive uma idéia para você.

Havia vários clientes andando de um lado para o outro. Crystal me conduziu até um canto na entrada da loja e paramos diante da parede de grãos.

– Olhe aqui – gesticulou ela. – Está vendo todos esses grãos de café?

Ultimamente, eu vinha ganhando cada vez mais confiança nas minhas tarefas de limpeza, abertura e fechamento da loja. Mas recebi aquela novidade com um certo temor – e sem muito entusiasmo.

Na minha antiga vida, quando era mais jovem e mais confiante de que estava conquistando algo de bom, eu adorava novos desafios.

"Você vai a Londres apresentar a idéia para o cliente cara a cara", disse-me certa vez Don Robertson, um ex-chefe meu. "E não volte se não vender nossa campanha para a Marks and Spencer." Meu coração saltou de felicidade diante daquele tipo de desafio. Com a arrogância da juventude, eu achava impossível fracassar. Em parte por conta da minha confiança ingênua, eu era geralmente bem-sucedido. No entanto, com a insegurança da idade avançada, além de muitos fracassos pessoais e profissionais nas costas, eu hesitava diante de qualquer novo desafio.

Crystal e a Starbucks tinham sido meu bote salva-vidas numa época turbulenta, mas eu estava muito longe de me sentir confortável a ponto de tentar coisas novas com sucesso na loja.

E aquele emprego era importante demais para eu arriscar perdê-lo tentando algo novo. Tinha ficado muito tempo desempregado para encarar qualquer novo desafio, mesmo vindo de Crystal.

Ela notou a preocupação no meu rosto.

– Não se preocupe, Mike – disse. – Tem tudo a ver com você. Você não gosta de café?

– Adoro.

– Não foi assim que nos conhecemos... quando você entrou aqui para tomar um Latte?

– Foi... – falei, mais devagar.

– Esta é a sua chance de compartilhar seu amor pelo café com outras pessoas. Você se lembra de quando lhe dei uma amostra de café e dos doces no seu primeiro dia?

– Nunca vou esquecer. – Sorri diante daquela lembrança. – Aquilo me deixou empolgadíssimo para trabalhar aqui com você.

– Eu sei. Mas, por incrível que pareça, Mike, muitos parceiros não gostam tanto de café assim.

Olhei em volta para os parceiros. A adorável e pequenina Bianca estava na caixa. Anthony, alto e elegante, estava no *espresso bar*. Os dois tinham uns 19 anos e nunca faziam cafés para eles mesmos. Sabia que Crystal estava falando a verdade. No começo de cada turno, qualquer parceiro podia tomar a bebida que quisesse. Todos os meus outros colegas eram jovens, e a maioria gostava de Frappuccinos e das bebidas doces, como a maioria das pessoas da sua idade. Raramente pediam um café preto, ou nem mesmo um Latte ou um *cappuccino*. Ao contrário deles, eu estava sempre preparando um café para tomar. Beber café era um verdadeiro prazer para mim e uma grande vantagem de se trabalhar na Starbucks.

Crystal tinha razão.

Talvez houvesse uma maneira de compartilhar meu amor pelo café com os outros. Mas como?

Como se estivesse lendo minha mente, Crystal falou:

– Na Starbucks nós temos Mestres do Café.

Crystal fez uma pausa, como se quisesse me dar tempo para vislumbrar um conceito maior, mas a palavra "mestre" em si despertou em mim uma lembrança de quando meu pai me apresentara a Frank Lloyd Wright, dizendo-me que as pessoas que tinham trabalhado com aquele grande arquiteto o chamavam de "o Mestre". Eu percebi a reverência e a admiração que meu pai sentia por aquele título. Tantos anos depois, eu me tornaria um "Mestre" – um "Mestre do Café". A idéia me fez sorrir.

Mas Crystal estava séria. Não retribuiu o sorriso.

– Não é fácil se tornar Mestre do Café, Mike. Você terá que conhecer a fundo vários cafés, e uma das suas funções é tomar amostras deles com parceiros e clientes.

– Eu adoraria isso! – falei, interrompendo-a.

– Eu sabia! – riu ela. – Mike, você é engraçado. É por isso que pensei em você para fazer este papel. Está vendo todos aqueles grãos?

Crystal gesticulou para os pacotes de café atrás de nós. Ela estava vestindo uma blusa de seda branca que emitia um brilho especial em contraste com seu avental verde. Seu cabelo estava amarrado atrás, destacando seu rosto. Quando escalava mulheres bonitas para comerciais de tevê, um pesquisador me disse: "Procure ossos molares altos... um rosto com traços simétricos. Desde os gregos até a Jessica Simpson, há milhares de anos que este tem sido o padrão de beleza." E era esta a beleza de Crystal.

– Não faz sentido ter todos esses grãos à vista se as pessoas não puderem aprender sobre café.

Ficou subitamente claro para mim: o negócio da Starbucks era café e, quanto mais pessoas pudessem conhecê-lo e apreciá-lo, melhor seria para todos.

– Você vai usar um avental preto – disse Crystal – e já consigo até vê-lo dando as boas-vindas aos clientes, convidando-os para tomar uma amostra de um café enquanto lhes conta a respeito dele.

– Sei que vou me sentir bem fazendo isso – falei.

– A questão é exatamente se sentir bem – falou Crystal, apontando para o meu coração. – Siga o seu coração. É o que eu digo a todos os meus parceiros. E seu coração está claramente no café.

Estava mesmo me sentindo bem. Sentia-me confiante. Via que aquilo era algo que eu poderia fazer; e com prazer.

– Além do mais – disse Crystal –, você é ótimo com os clientes.

Seguindo o conselho de Crystal, fiz uma série de cursos pela internet. Era quase como ir para uma faculdade de café. Havia uma série de disciplinas diferentes: a história, a geografia, as condições de crescimento e todos os aspectos envolvidos na feitura. Aprendi onde o café foi descoberto, como ele era cultivado e colhido, secado ou lavado, transportado e então torrado. Aprendi que a torrefação era tão importante quanto a seleção e o cultivo, na determinação do sabor final.

A Starbucks era extremamente meticulosa em relação aos tipos de café que usava, ajudando fazendeiros a cultivar as melhores safras nas melhores condições para a comunidade e o meio ambiente. É claro que a Starbucks comprava apenas uma porcentagem mínima da produção mundial de café, mas podia se dar ao luxo de garantir que estava recebendo o melhor. Aprendi também que a Starbucks patenteara um método de manter o café fresco, e que o frescor era um dos elementos chave para a feitura do café.

Também preenchi meu "Passaporte do Café", um livrinho com espaço para registrar minhas reações de paladar aos vários cafés diferentes, classificando-os ao beber uma amostra e escrevendo minha opinião quanto ao sabor, consistência, acidez e todos os aspectos do aroma e do "paladar" dos vários *blends* e dos cafés de origem única.

Depois de algumas semanas de estudos intensos, Crystal me disse:

– Está chegando a época de festas. Por que você não prepara algumas palestras e degustações de café para os nossos parceiros e clientes?

Nos dias que se seguiram, Crystal me ajudou. Para minha primeira palestra, escolhi o Yukon, por ser um café com uma história maravilhosa. Escolhi uma data, uma noite no começo de dezembro. Coloquei um cartaz na loja convidando as pessoas para uma degustação de café com biscoitos de aveia com passas e biscoitos com gotas de chocolate. Passas e aveia vão bem com o Yukon, e o chocolate é primo em primeiro grau de todos os cafés. Os dois sempre geram uma combinação deliciosa. E biscoitos com gotas de chocolate são meus favoritos. Minha nova função de Mestre do Café me permitia planejar meus próprios eventos, com a comida e os cafés que eu achasse melhores.

Percebi que estava inseguro. Estava trabalhando duro para que todos pudessem apreciar o café e os doces que iria servir, e não queria que nada saísse errado. Eu me sentia como um anfitrião que não podia cometer erros involuntários que causassem caras feias em vez de sorrisos.

Mas disse a mim mesmo que o café e os biscoitos seriam um sucesso. Na hora marcada, moí um pouco de Yukon numa prensa francesa, enchi de água quente, ajustei o tempo para quatro minutos e então servi o café em copinhos de amostra, junto com os biscoitos. Uma dúzia de clientes tinha vindo ouvir sobre o café e aproveitar as amostras grátis.

O marido de Rachel, Justin, estava presente. Ele geralmente acompanhava a mulher e o filho, Max, até a Starbucks, mas estava sozinho naquela noite.

– Onde estão a Rachel e o Max?

– Em casa. Rachel ainda está só no descafeinado. Esta é minha hora de folga! – disse ele, rindo.

O Dr. Paul também aparecera, sem o boné dos Red Sox.

– Cadê o boné?

– Os Sox não precisam mais de mim. Eles chegaram às finais, veja que situação!

Havia uma senhora baixinha, de cabelos brancos, que vinha todos os dias tomar um Venti, nosso maior café, de quase 600 ml. Era obviamente apaixonada por café.

Havia também um casal jovem, claramente grudado. Sempre de mãos dadas e rindo enquanto se olhavam nos olhos. A princípio, pensei que estavam lá por acidente, então perguntei:

– Querem participar da degustação de café?

– Viemos pra isso – disse o rapaz. – Foi aqui que nos conhecemos, tomando café.

– E adoramos café – disse a namorada, e os dois riram como se ela tivesse feito uma piada engraçadíssima.

Eu trouxe uma pequena bandeja de prata, e cada cliente pegou um cafezinho e um biscoito.

– Estamos degustando o café Yukon esta noite – anunciei para os convidados. – Primeiro, sintam o cheiro – prossegui. – Então bebam e só depois digam o que acharam.

Eles riram novamente – o jovem casal e todo o pequeno grupo. Eu ri também, um riso sincero, que saiu naturalmente. Estava feliz por estar ali, conduzindo aquela palestra sobre um assunto que aprendera a amar.

– Enquanto o saboreiam – falei –, vou contar uma historinha. Não se cultiva café em Yukon... Então, por que o nome?

O pequeno grupo olhou para mim com atenção. Aquele café e aqueles biscoitos maravilhosos já estavam fazendo efeito. Todos pareciam verdadeiramente interessados.

Crystal e Kester se aproximaram e eu servi para eles amostras de café e biscoitos. Kester me deu uma piscadela e um sorriso largo. Sabia que ele não gostava tanto de café; estava ali apenas para me dar apoio moral. Crystal era uma entusiasta de qualquer coisa relacionada a servir café. Bebericou o seu com seriedade. Então sorriu. Dei um suspiro aliviado. Eu tinha preparado o Yukon da maneira certa.

– Ele é chamado de Yukon – prossegui – porque o capitão de um navio pesqueiro em Seattle, que fazia viagens para Yukon, apareceu dizendo que precisava de um café mais forte do que o popular House Blend. Então eles misturaram alguns dos cafés indonésios mais fortes com grãos latino-americanos.

– Ele é bom – disse o Dr. Paul.

– Delicioso – falou o marido de Rachel.

A senhora de cabelos brancos concordou veementemente. Vários outros clientes também murmuraram sua aprovação. Entramos numa discussão mais profunda sobre cafés e sobre como o solo vulcânico da Indonésia gerava grãos particularmente deliciosos. Mencionei o Sumatra, meu primeiro amor, e também o Sulawesi, outro café indonésio que era um pouco mais sutil, mais elegante. Prometi servi-lo na próxima degustação.

Crystal e Kester tinham se afastado, retornado às suas tarefas na loja. Tomei aquilo como um voto de confiança. Sabia que Crystal não teria me deixado continuar com a palestra, se achasse que eu estava fazendo algo errado. Ela confiava em mim.

– Quem descobriu o café? – perguntou um homem que eu chamava de Professor. Ele dava aulas na Universidade de Columbia. Tinha uma barba branca e olhos verdes brilhantes. Sempre pedia um Solo Espresso "para agora". O que significava que o queria numa xícara de porcelana. Saboreava seu *espresso* na nossa loja, lendo um livro enquanto bebericava o café.

– Boa pergunta, Professor – falei. – O café surgiu na Etiópia. Temos um café ótimo chamado Ethiopia Sidamo. Há uma história maravilhosa sobre as origens do café, embora talvez seja um pouco metafórica... É mais uma alegoria.

– Gosto de mitos – disse o Professor com um sorriso.

– Um dia – comecei a falar –, centenas de anos atrás, um pastor de cabras seguiu seus animais por uma colina da Etiópia. Ele era apenas um menino, e as cabras o conduziram cada vez mais alto pela encosta. Andavam tão depressa que ele acabou ficando para trás. O menino era poeta, tinha uma flauta e provavelmente parou para compor uma música. Quando finalmente alcançou as cabras, elas estavam mascando alguns grãos e dançando nas patas traseiras. O rapaz ficou hipnotizado por aquela visão empolgante. Começou a mascar os grãos e logo estava dançando também. Quando ele chegou em casa, dançando e cantando, sua família quis saber o que estava acontecendo... Então subiram a colina para apanhar alguns daqueles grãos. Com o passar dos séculos, os etíopes aprenderam a torrá-los... Pessoas transportaram as sementes da Etiópia. Um francês trouxe uma planta para a América Latina no século XVIII, e os holandeses levaram algumas outras para a Indonésia antes disso.

– Adorei a história – disse o Professor. – Mal posso esperar para provar um café etíope.

– Que tal fazermos uma degustação na semana que vem? – Ainda não tinha falado com Crystal, mas por que não?

– Maravilha – disse o Dr. Paul.

– Está marcado – falou o jovem casal, rindo novamente.

Aos poucos, o grupo foi se dispersando, alguns ficando para fazer perguntas mais específicas sobre grãos de café. Vários clientes compraram pacotes de Yukon para levar para casa.

Enquanto eu limpava tudo, os alto-falantes da Starbucks tocavam Frank Sinatra.

"That's life", cantava Frank: a vida é assim. Lembrei-me da noite em que o encontrei no Toots Shor's, um famoso bar de Nova York, o favorito para nós que tínhamos acabado de sair da faculdade e estávamos começando a trabalhar na cidade grande. O clima era sempre festivo lá dentro, mas a grande atração era o próprio Toots. Ele era o anfitrião ideal. Bebia junto com os clientes. E tinha outra grande qualidade para nós rapazes: ele trocava nossos cheques por dinheiro. Isto foi muito antes dos caixas eletrônicos; até cartões de crédito eram uma raridade. Era comum precisarmos de dinheiro tarde da noite. Aquilo não era problema para Toots. Dava a sensação de poder receber dinheiro por uma simples folha de papel: assim, todos podíamos pedir outra rodada.

Uma noite, Frank chegou tarde, enquanto eu bebia com alguns amigos. Às vezes, quando você vê o rosto de uma pessoa com tanta freqüência na TV ou no cinema, acaba achando que a conhece. Eu tinha crescido vendo Frank Sinatra e, quando ele entrou no bar, chamei-o instintivamente, como se fosse um amigo:

– Olá, Frank!

Quando percebi que não se tratava de um amigo, mas de Frank Sinatra em carne e osso, fiquei envergonhado, mas ele teve a gentileza de parar para dizer um oi. Logo em seguida, foi para os fundos do bar para ser insultado por Toots – que era famoso por chamar todo o mundo de "seu vagabundo" – mas ele ficou com a gente tempo suficiente para que todos se sentissem bem.

Adorava ouvi-lo cantar. Enquanto fazia a limpeza, comecei a cantar junto com a música e vi Anthony olhando para mim. Anthony tinha apenas 19 anos, mas parecia muito mais velho. Sempre chegava com sapatos marrons engraxados e calças claramente recém-passadas. Acima de tudo, Anthony tinha um sorriso gentil e confiante no rosto – mesmo quando encarava uma fila longa, ele nunca perdia sua tranqüilidade elegante.

– Frank Sinatra é um grande cantor – falei para ele, ainda bem-humorado por conta da palestra sobre café.

Anthony me lançou um olhar indagador. Estava claro que nunca ouvira falar de Frank Sinatra. Geralmente era assim com as músicas que tocavam na Starbucks. Os jovens parceiros não escolhiam as músicas da loja. Ela era escolhida por pessoas de Seattle que pareciam adorar os artistas de antigamente, com os quais eu crescera. Nossos clientes pareciam gostar dos cantores antigos, como Ray Charles e Frank Sinatra.

– Frank era como você – falei para Anthony. – Ele era um cavalheiro, cheio de estilo. Eu o conheci quando tinha mais ou menos a sua idade.

– Que legal – disse Anthony. Dava para ver que ele estava sendo apenas educado comigo e não estava muito interessado.

De repente, me dei conta de que Frank tinha morrido antes de Anthony nascer.

– Para você, ele é história antiga – falei.

– Você é uma aula de história – disse Anthony.

Ele notou minha expressão chocada. Detestava ser lembrado de que era décadas mais velho do que os outros parceiros.

– Mas eu gosto de história – disse Anthony, querendo fazer com que eu me sentisse melhor. – Pretendo fazer faculdade e estudar história. A Starbucks paga cursos para a gente, e quero fazer todos que puder.

Anthony estava sendo educado comigo, mas fiquei grato por seu estilo cortês. Imaginei como devia ser difícil tentar estudar e trabalhar nos turnos da Starbucks ao mesmo tempo. O auxílio da empresa na educação dos funcionários, mesmo para os que trabalhavam meio expediente, era ótimo, mas um parceiro precisava de muita disposição e disciplina para aproveitar aquela oportunidade.

Crystal ainda estava no seu pequeno escritório.

– Taí um sujeito feliz – ela disse, notando meu alto astral. – Mike, você é engraçado mesmo. Fez aquele monte de gente rir na palestra sobre café.

– Aquela história do pastor de cabras é muito engraçada...

– Não é só a história, Mike. Os clientes gostam de ver que você está feliz aqui.

– É – falei. Passei por ela para descer até o porão, onde tirei meu avental e o joguei na pilha de roupa suja. Quando voltei, bati o ponto para sair.

– Ótimo trabalho – disse Crystal enquanto eu saía. – Vamos fazer muito mais dessas degustações... O período de festas vai ser bom para nós!

A palestra seguinte com degustação que marquei foi uma comparação entre o Sulawesi e o Sumatra. O Sumatra tinha um paladar mais forte e um gosto mais pungente, “terroso”, ao passo que o Sulawesi tinha uma mistura de sabores mais elegante e complexa de se saborear.

Cada vez mais confiante em relação à minha experiência na Starbucks, convidei Annie para a noite da degustação. Fiquei feliz ao vê-la na platéia. Ela trouxe o namorado.

Foi outra degustação ótima. Daquela vez, um grupo de cerca de 20 pessoas de todas as idades se reuniu. Servi alguns brownies de *espresso* com o Sulawesi e alguns grãos de *espresso* cobertos de manteiga de amendoim com o Sumatra – ambos deliciosos.

Annie e o namorado ficaram timidamente afastados durante a degustação, mas depois ela veio falar comigo.

– Uma nova estrela na Broadway – disse, dando-me um abraço forte e um beijo. Entendi o que ela queria dizer. A Starbucks era uma espécie de palco. Um palco para bons momentos. Um lugar especial para as pessoas irem, onde podiam relaxar e simplesmente se sentir bem.

Há quem diga que saímos da Era Industrial para a Sociedade de Consumo e daí para a Era do Entretenimento. Não havia dúvida de que os parceiros da Starbucks se interessavam por artistas do mundo do entretenimento.

Uma noite, mencionei a Charlie que minha filha Bis estava fazendo um filme na Irlanda com o rapper 50 Cent. Nunca tinha ouvido falar nele, mas Bis me disse:

– Seus parceiros devem conhecê-lo.

Charlie com certeza o conhecia. Ele quase saiu quicando ao ouvir aquele nome.

– 50 Cent! – exclamou ele. – Ei, Kester, Mike conhece o 50 Cent!

– Não, não – apressei-me em interrompê-lo. – Não o conheço!

O que era verdade. Nunca tinha ouvido uma música sua. Kester se aproximou de nós. Bianca se juntou ao grupo que se reunia à minha volta, esquecendo a fila de clientes esperando para serem atendidos.

– Como ele é? – perguntou Bianca. – Ele é mau de verdade?

– Segundo minha filha, ele parece ser um bom sujeito...

– Vamos voltar para a fila – disse Kester, lembrando-nos do trabalho. Mais tarde, no fim do meu turno, Charlie veio falar comigo.

– Então, me conte mais sobre o 50 Cent.

– É minha filha que o conhece – falei. – Nunca nem o vi... É que minha filha está fazendo um filme com ele.

O fato de eu não ser nem de longe fã ou amigo de 50 Cent não pareceu desanimar Charlie. Compreendi como era empolgante para meus parceiros a idéia de qualquer tipo de relação com um artista tão popular. Pensei que Charlie – e talvez, bem no fundo, todos eles – podia se ver, de alguma forma e em algum momento, fazendo a transição de parceiro da Starbucks para artista famoso. Se 50 Cent tinha feito aquela transição, não era impossível para eles.

Eu me sentia cada vez melhor em relação ao meu papel na loja: servir café, que eu adorava, para pessoas com as quais gostava de conversar.

Voltei para a limpeza.

Crystal estava fazendo alguns relatórios.

Ela parecia estar com um humor excelente. Percebi que estava feliz por mim. Aquilo era um sentimento bonito.

– Mike, dê uma olhada nisto... – Ela apontou para a tela do seu computador. – Nossas vendas de grãos estão nas alturas... e estudos mostram que quanto mais grãos você vende, mais clientes fiéis consegue.

– Que bom – falei, olhando como um idiota para a tela.

– Você está ajudando a loja, Mike.

Ela fez uma pausa.

– Está me ajudando.

Sentia-me tão grato por Crystal ter me salvado da minha espiral descendente que poder ajudá-la de alguma forma era uma sensação ótima.

– Vamos ter um Fórum Aberto... uma oportunidade para todos os parceiros desta região se encontrarem, na semana que vem. Eu gostaria que você nos acompanhasse.

Na semana seguinte, fui ao Fórum, nos fundos de uma catedral antiga. Havia centenas de parceiros lá. Alguns, como eu, usavam o uniforme da Starbucks, outros estavam com suas roupas do dia-a-dia. Assim que entrei, fui parado por um homem que se apresentou como Tom, do departamento de recursos humanos. Ele me perguntou como estavam as coisas e se havia algo mais que pudesse fazer por mim. Eu disse que estava tudo ótimo e perguntei se havia algo mais que eu pudesse fazer pela Starbucks.

– Só encontrar mais pessoas com uma atitude tão positiva quanto a sua – ele respondeu. Ouvir aquilo me fez bem.

Alguém agarrou meu braço. Era Yvette. Ela era quase da minha altura e estava com o cabelo preso no alto da cabeça. Por regra, tínhamos sempre que usar um boné da Starbucks na loja, de modo que a maioria dos parceiros prendia o cabelo firme para ele caber debaixo do chapéu. Aquela era uma Yvette completamente diferente. Ela também usava um top dourado sem mangas, que não tinha nada a ver com a Starbucks, e uma minissaia vermelha. Também notei que tinha uma tatuagem de coração no braço. Nunca a tinha visto antes, pois fazia parte do código da Starbucks cobrir qualquer tipo de tatuagem quando se estava na frente da loja, atendendo os clientes.

Yvette parecia uma outra mulher. Ela viu uma barraca cheia de ursos de pelúcia de Natal. Crystal se aproximou de nós quando chegamos à barraca e pegou um ursinho.

– São muito bem-feitos – disse ela. – Tenho uma coleção inteira na minha casa.

Aquilo não me surpreendeu. A paixão de Crystal pela Starbucks era algo essencial na sua vida. Por que não iria querer estar cercada de ursinhos da Starbucks tanto no trabalho quanto em casa?

– Você pode ganhar um – disse-nos um rapaz da barraca – se responder algumas perguntas sobre a Starbucks. Mas elas não são fáceis.

– Tá no papo – falou Crystal, confiante como sempre.

– Ótimo – disse o rapaz. – É tipo um jogo de perguntas e respostas sobre a Starbucks. Você precisa saber muita coisa para ganhar. Primeira pergunta – disse o rapaz. – Qual era a cor do primeiro logotipo da Starbucks?

– Marrom – respondeu Crystal sem titubear.

– Uau! – falei.

– Sei todas essas coisas – disse Crystal.

– Qual a origem do nome Starbucks?

Fez-se um silêncio tenso. Estava claro que Crystal não sabia aquela resposta. Por sorte, assim que entrei na Starbucks, eu comecei a ler tudo a respeito da franquia.

– Starbucks era o imediato de um navio – falei.

– De um navio? – disse o rapaz. Ele não nos deixaria ganhar um ursinho tão facilmente.

– Do navio do capitão Ahab... de *Moby Dick*. Starbucks gostava de café, ou coisa parecida.

– E o que mais? – perguntou o rapaz.

– O nome é ótimo – prossegui –, fácil de pronunciar e sugere vantagens essenciais.

Crystal estava sorrindo; àquela altura já me conhecia e sabia como eu disparava a falar como um publicitário se tivesse a menor chance.

– O que quero dizer é que todo mundo quer ser uma estrela, *star*, e todo mundo quer ganhar grana, *bucks*. Então Star... bucks é um nome perfeito.

O rapaz atrás do balcão soltou uma gargalhada. Eu tinha acertado na mosca com meu comentário. E, obviamente, nenhum parceiro tinha pensado naquela feliz combinação antes.

– Você ganhou um urso – disse o rapaz, entregando-me um ursinho vestido de Papai Noel.

Dei o urso para Crystal. Ela guardou-o cuidadosamente, na sua bolsa de couro.

– Você é um cara muito engraçado, Mike – falou ela. – Que coisa, saber tudo aquilo. Não digo engraçado apenas no sentido de fazer as pessoas rirem. Embora você me faça rir. Estou falando da maneira como você gosta dos clientes, e de conversar com os parceiros. Você parecia muito frio e sério quando o conheci. Agora, está muito mais alegre. Acho que é isso que quero dizer, quando o chamo de engraçado. Agora, você gosta mesmo da Starbucks. Dá pra notar.

Ela me lançou um olhar amável.

– Acho que somos parecidos nesse sentido. Você entendeu, Mike. Mas é um pouco estranho. É que eu nunca imaginei... que fôssemos rir juntos, sabe? E nunca imaginei que você fosse me dar um ursinho.

Kester se sentou do meu lado e Anthony também se juntou a nós.

– Mike ganhou um ursinho para mim – disse Crystal, apontando para a bolsa.

Jamais poderia pensar que todo o meu trabalho duro de limpeza, as palestras sobre café e tudo o mais acabaria sendo menos importante do que aquela pequena façanha. Mas talvez o urso fosse apenas um símbolo.

– Legal – foi tudo o que Kester disse, porém, me deu um soquinho no ombro. Eu sentia que estava em sintonia com meus parceiros.

Dali a pouco, uma mulher subiu no palco. Tinha uns 30 e poucos anos. Sentia-se claramente confiante para falar diante de uma platéia tão grande.

– Olá – falou ela. – Meu nome é Kathy. Espero que estejam todos se divertindo hoje. Costumam me chamar de diretora regional, mas, na verdade, sou apenas uma pessoa que vocês podem consultar quando querem algumas respostas. Então, vamos começar! Estamos aqui para responder a qualquer pergunta dos parceiros...

– Como eu faço para vender um CD que produzi com alguns amigos nas lojas da Starbucks? – perguntou um parceiro. Houve outras perguntas deste tipo, e todas eram respondidas. Fiquei impressionado. Na JWT, jamais tivemos um Fórum Aberto no qual todos os funcionários pudessem fazer qualquer tipo de pergunta. Aquilo nunca tinha passado pelas nossas cabeças. Na verdade, a filosofia da diretoria era: se estamos felizes, nossos funcionários devem estar felizes.

Depois de cerca de uma hora de perguntas – e de um show de música, com diretores vestidos como astros de rock – Kathy anunciou:

– Agora, temos alguns prêmios para entregar para vocês. Vamos começar com o maior de todos: Melhor Gerente do Ano... Moses Thornton.

Houve uma grande salva de palmas, enquanto um rapaz negro subia ao palco.

Kathy leu um texto que enaltecia todas as suas qualidades e seu desempenho na sua loja. Mais aplausos.

– Nosso próximo prêmio – disse Kathy – vai para uma pessoa que vem fazendo um trabalho maravilhoso há muitos anos. Tenho o prazer de entregar o prêmio de Gerente do Trimestre para Crystal Thompson.

Crystal engasgou e saltou de pé. O salão inteiro pareceu se levantar. Ela era claramente uma escolha popular. Enquanto ela seguia para o palco, todos começaram a aplaudir.

Crystal acenou para mim e para Kester e para todos os seus outros amigos na platéia.

Como aquilo era diferente da minha experiência na publicidade. Sempre que ganhava um prêmio naquela época, conseguia sentir imediatamente a presença de um rancor competitivo, mal disfarçado por uma salva de palmas educada. Ali, estava claro que todos estavam felizes por Crystal. Eles sabiam como ela trabalhava duro. Gostavam dela. E sabiam que tinham uma boa chance de serem reconhecidos no futuro.

O mundo da publicidade era baseado numa pirâmide onde poucos chegavam a gozar de reconhecimento. Na Starbucks, todos eram respeitados, e muitos – se não a maioria – eram reconhecidos... Não apenas em fóruns especiais, mas todos os dias, em cada loja.

O Fórum era apenas outro exemplo para mim do quão maravilhoso era o grupo do qual eu passara a fazer parte. Fiquei muito empolgado por Crystal – era ela a verdadeira estrela da Broadway.

À medida que chegavam as festas de fim de ano, descobri que as degustações de café bem-sucedidas e o movimento mais intenso na loja de uma forma geral me ajudavam a lidar melhor com minha solidão e insegurança. Na minha antiga vida, naquela época do ano, quando ainda morava com minha mulher e meus filhos, meu mundo estaria repleto das idas e vindas constantes de familiares e amigos. Minha antiga casa estaria cheia de sons, imagens e cheiros natalinos.

Morar sozinho no meu pequeno apartamento perto da linha do trem no subúrbio era bem diferente. O som mais alto lá era o toque repentino dos apitos dos trens que passavam pela estação a algumas centenas de metros. Aqueles apitos que despedaçavam meu silêncio pareciam lamentos inumanos de criaturas robóticas. Pensei no título de um livro de Thomas Wolfe, *Não é possível voltar para casa*. Aquilo sem dúvida era verdade para mim: meu antigo lar estava fora do alcance.

Assim, ficava grato por sair da prisão do meu apartamento vazio e me juntar à animação e à interação humana daquela época, na minha loja da Starbucks – lá eu fazia parte de um grupo social. Nele, a dor e culpa constantes que eu sentia no fundo do coração por toda a mágoa que causara – e que eram mais intensas durante aquele período "família" de festas – eram suavizadas ou até esquecidas. A loja estava sempre cheia, havia mais trabalho a fazer, e eu sentia prazer em ajudar meus parceiros – em vez de ser sempre aquele que precisava de ajuda.

Visitava meu filho Jonathan pelo menos uma ou duas vezes por semana. Eu lhe dei alguns trenzinhos de madeira de presente e nós brincávamos juntos. Estar com ele era um alívio. Jonathan não tinha perguntas dolorosas a me fazer e possuía o talento incrível de se maravilhar com cada momento. Assim como eu cuidava dele, ele cuidava de mim. Estar com meu filho e testemunhar sua alegria era revigorante. Eu conseguia compartilhar do prazer desinibido que Jonathan retirava de cada momento e deixar minha sensação de perda e meu medo em relação ao futuro para trás.

Minha filha Bis estava na Irlanda trabalhando no seu filme, mas meus outros filhos tinham voltado para casa, para as festas – em Connecticut, onde eu não era mais bem-vindo. Eu ligava para eles, nós conversávamos, mas era quase sempre embaraçoso e doloroso, apesar do esforço deles e da minha tentativa de encarar as coisas da forma mais positiva possível. O único aspecto da minha vida atual que eles pareciam respeitar era o fato de saberem que eu estava lutando para vencer num trabalho que não era fácil para mim – e que não se baseava na minha antiga necessidade de status.

Crystal e meus parceiros preenchiam o vácuo da minha vida com uma espécie de energia alegre e determinada que era um alívio para mim. Nenhum dos meus amigos de antes tinha me convidado para passar as festas na sua casa e, mesmo que algum deles o tivesse feito, eu não teria me sentido confortável em ir. Não queria causar mais dor a familiares e amigos que já havia magoado, aparecendo como um fantasma de Natais passados.

Minha loja da Starbucks se tornara um refúgio para mim, num período emocionalmente turbulento. Minha loja na velha

Broadway era quase uma ilha de receptividade calorosa na ilha maior que era Manhattan, na qual eu estava aprendendo a sobreviver e estabelecer novos vínculos. Ela se tornara, quase literalmente, meu novo lar para as festas de fim de ano. Naquele instante, notei quanto carinho sentia por Crystal e pelos meus parceiros. E nutria uma admiração verdadeira pelo excelente trabalho que eles estavam fazendo – e me ajudando a fazer. Gostava da confiança cada vez maior que sentia em ser capaz de fazer contribuições pequenas porém necessárias para o sucesso da loja.

Ao sair da minha loja depois de outra degustação de café bem-sucedida, fui recebido por uma lufada do ar frio de dezembro. O tempo tinha mudado drasticamente nos últimos dias. Baixei meu gorro de lã e vesti minhas luvas.

Enquanto andava para o metrô, as luzes da cidade pareciam mais brilhantes. Talvez fosse uma ilusão causada pela temperatura baixa. Elas pareciam piscar magicamente no ar gelado. Continuei andando, e então parei, literalmente, ao ter uma revelação chocante:

– Estou mais feliz do que nunca – falei em voz alta.

Felizmente, na cidade de Nova York muitas pessoas falam sozinhas, de modo que ninguém deu atenção àquilo.

Tirei uma das luvas que acabara de vestir e coloquei a mão em cima do meu coração. Conseguia sentir uma espécie de felicidade branda e profunda que jamais sentira antes. O que estava acontecendo?

Estava quase assustado; ainda com medo de admitir como estava feliz... Aquele não era o emprego de prestígio nem a vida opulenta que meus pais, minha família e meus amigos tinham esperado de mim.

Isso significava que toda a minha vida até ali – todos os meus 64 anos – tinha sido uma piada?

Não. Balancei a cabeça, ainda parado no mesmo lugar, discutindo comigo mesmo. Tinha amado muitas coisas. Ainda amava meus filhos. No entanto, precisava admitir – pela primeira vez e com uma honestidade brutal – que odiara trechos imensos da minha vida na alta sociedade, repleta de tantas obrigações sem sentido.

Dobrei uma esquina e voltei a subir a Broadway. Queria andar um pouco. Precisava pensar. Não tinha tanta pressa de pegar o metrô naquela noite. As luzes estavam brilhantes demais.

Detestava pensar que a minha vida inteira tinha sido uma mentira. Precisava admitir que sentia um grande alívio naquela vida diferente que estava levando... E até naquele meu apartamento pequeno. Ainda sentia orgulho de ser capaz de viver e me sustentar por conta própria. Mas... não fazia sentido. Tinha conquistado aos 64 anos o que a maioria das pessoas conquista aos 24. Por que estava tão feliz?

Nunca na vida havia sentido a ternura, a paz e a felicidade que sentia naquele instante. Talvez os erros que cometera – e que tanto mal haviam causado – também tivessem me ajudado a quebrar meu casulo confortável... a sair para um mundo tão mais cheio de vida e luz.

Não sabia ao certo. Mas sabia o que estava sentindo no fundo do coração. E ele estava cheio de uma felicidade que eu jamais sentira antes. Deveria ter percebido que as coisas estavam fadadas a mudar.

8

DEMITIDO, OU QUASE

"Todo dia é um salto no escuro."
– frase da compositora Liz Wright, impressa na lateral de um Short Americano

JANEIRO

Quando entrei no calor da loja uma certa manhã de janeiro, Tawana me recebeu com um olhar tão cheio de raiva que acabou com o meu bom humor.

– Crystal quer falar com você – ela me disse, com um olhar de satisfação fria que fez meu coração parar.

Aquelas não eram palavras boas, principalmente vindas de Tawana. Enquanto os outros parceiros se esforçavam, por mais ocupados que estivessem, para me receber com um sorriso e boas-vindas, Tawana era gélida. Trabalhar com alguém que está contra você torna desagradável um emprego bom.

Segui para o escritório de Crystal. Eu sabia que aquele tipo de negatividade, em qualquer lugar, vinda de qualquer pessoa, poderia prejudicar você de várias maneiras. Tinha medo de que Tawana estivesse tentando sabotar a única coisa boa que me acontecera em muito tempo.

Disse a mim mesmo para me acalmar. Estava fazendo o melhor possível e, independentemente do que acontecesse, aquilo deveria ser o suficiente. Lembrei-me das vezes em que tinha dado aquele mesmíssimo conselho aos meus filhos, quando eles estavam sob pressão: quando Bis estava tendo problemas com um professor implicante no colégio, quando meu filho Charles estava participando de algum campeonato maluco, sempre lhes garanti que daria tudo certo se eles simplesmente se concentrassem em fazer o melhor possível. No entanto, naquele momento percebi que dar este tipo de conselho trivial era fácil, difícil era segui-lo. Apesar das minhas tentativas de permanecer calmo, meu coração estava batendo forte, com um certo nervosismo.

Bianca estava com Crystal.

– Você pode nos dar licença um minuto? – Crystal perguntou a ela, que me deu um sorrisinho meigo e nos deixou sozinhos.

Outro mau sinal. O que Crystal queria me dizer que não poderia ser compartilhado com outro parceiro?

– Sente-se, Mike – disse Crystal, ainda sem sorrir. Um último mau sinal. Havia outra cadeira no escritório, mas a maioria das conversas se dava sem ninguém se sentar...

– Tawana me chamou a atenção para uma coisa...

Crystal fez uma pausa, claramente buscando a maneira certa de falar algo sério para mim.

– Ela observou que você esteve mais de 10 dólares acima da meta e, uma vez, mais de 10 dólares abaixo dela no mês passado.

Crystal se referia à contagem do dinheiro das caixas registradoras que fazíamos ao final de cada turno. Eu sabia que deveria estar, no máximo, cinco dólares acima ou abaixo da meta.

Apressei-me em dizer:

– Sinto muito.

– Isso é bom – disse Crystal –, mas Tawana frisou que geralmente os parceiros recebem uma advertência por escrito nesses casos.

Receber uma "advertência por escrito" era terrível na Starbucks. Nunca ouvira falar de nenhum parceiro que tivesse sido demitido, mas sabia que o processo começava com uma "advertência" por alguma infração.

Quase como se tivesse lido meus pensamentos, Crystal começou a dizer:

– Essas advertências são feitas... principalmente por problemas financeiros de qualquer espécie. Depois de um certo número delas, a pessoa pode ser demitida.

De repente, senti um verdadeiro pânico. Demitido, não! De novo, não! E especialmente não naquele momento, de um lugar no qual me sentia são e salvo e – por que não? – amado.

Tive uma súbita visão de mim mesmo sendo jogado na calçada fria e cinzenta de janeiro daquela cidade. Percebi novamente o quanto havia caminhado desde a época em que contava com o apoio material e externo de uma casa grande, de um emprego importante e de ternos elegantes; tudo aquilo que eu buscara para obter conforto – e que não me adiantara de absolutamente nada quando as coisas deram errado... Então eu havia encontrado na Starbucks uma realidade melhor... Baseada não em símbolos externos de status, mas numa sensação real de confiança, amparo, ternura verdadeira e até admiração por parte dos parceiros e dos clientes. E de Crystal. Crystal e a Starbucks tinham me salvado. Salvado da minha busca por símbolos vazios, mas também da minha ânsia por uma vida superficial dominada pelo medo e que não tinha sido, no fim das contas, benéfica e nem mesmo agradável para mim.

Ao contrário de Tawana ou Crystal, desde o nascimento eu tinha estado numa escada rolante ascendente, reservada para uma pequena elite rica, instruída, articulada e bem vestida, que jamais pararia de subir. Não tinha saído por vontade própria daquela escada rolante confortável: tinha sido empurrado dela e caído... E ninguém foi capaz de me ajudar ou mesmo de notar meu sofrimento.

Claro que eu era o culpado. Quando perdi o chão e comecei a despencar – rapidamente –, não conseguia dizer à minha família ou aos meus amigos como estava infeliz. Nem que estava falido. Uma realidade tão devastadora quanto aquela jamais seria bem-vinda no meu mundo.

Não fui criado para dizer verdades tão terríveis. Minha mãe vivia num mundo de negação otimista. Para ela, tudo era sempre para o bem. Ela mal conseguiu me contar quando meu pai morreu, sete anos antes. Recebi sua ligação poucos dias depois do Natal.

– Tivemos um Natal maravilhoso – ela começou a falar, sua voz cheia de uma vitalidade musical, como sempre. – Seu pai ajudou Emma a juntar todos os seus brinquedos. – Emma era a neta mais jovem dos meus pais. Naquelas ocasiões, o membro mais jovem da família era, naturalmente, o centro das atenções. – O Natal não poderia ter sido mais maravilhoso e seu pai foi um verdadeiro...

Sua voz se interrompeu... o que era estranho para mamãe. Ela era capaz de monólogos que duravam vários minutos.

– Como ele está? – perguntei, de forma rotineira.

– Ele está doente...

– Qual é o problema?

– Ele morreu. – Meu coração afundou no peito. – Mas o Natal não poderia ter sido melhor! – Arrematou ela, num tom animado e exultante. Mamãe decidira conduzir sua vida encarando cada momento como uma dádiva. Ela sempre fazia questão de ficar grata por – e evitava criticar – qualquer coisa que a vida lhe dava. Também tinha o cuidado de manter enterradas todas as más notícias.

Descobri por parentes, já com 40 e muitos anos, que o avô dela, Henry Harris Barnard, cometera suicídio pulando dentro de um poço. E que seu tio-avô Gates se matara com um tiro. E que um de seus tios favoritos tivera que ser levado do Harvard Club para ser internado pelo resto da vida numa instituição psiquiátrica no interior. E que sua única irmã, Frances, também havia sido internada num hospício, ainda criança, e nunca mais fora vista por nenhum membro da família. Ela nunca tinha mencionado estas verdades terríveis para mim.

Depois da ligação em que ela revelou com relutância a morte do meu pai, entrei imediatamente no meu carro e peguei a estrada, para estar com ela. Mas mamãe não queria conversar sobre o assunto. Certamente não tinha interesse em fazer uma autópsia, ou buscar de qualquer forma o que de fato acarretara a morte do meu pai.

Descobri mais tarde – através de terceiros – que meu pai sentira uma dor nas costas e tinha ido ao hospital para ser examinado, o que decididamente não era do seu feitio. Creio que, naquele instante, enquanto era examinado no hospital, meu pai percebeu que havia algo de muito errado com ele – e decidiu morrer. Outro homem teria lutado mais tempo, mesmo numa condição de semi-invalidez. Meu pai, no entanto, tinha visto sua mãe sofrer com um câncer por um ano, antes de morrer, quando ele tinha apenas 7 anos. Um dos objetivos que o acompanharam por toda a vida era não infligir aquele tipo de sofrimento prolongado a ninguém.

"Me dêem um tiro se eu ficar daquele jeito", costumava dizer meu pai, geralmente num tom constrangedoramente alto, apontando um parente decrépito em alguma festa. Recebi esta ordem assustadora desde a mais tenra infância.

Meu pai convivia com uma espécie de pavor de enlouquecer. Através do seu esforço consciente e constante e de seu talento, ele conseguiu evitar que a morte trágica de sua mãe o afundasse na depressão. Mas ele precisava lutar todos os dias contra as correntes profundas que tentavam arrastá-lo.

Ele desenvolveu um método poderoso de negação da dor: primeiro, através da sua escrita, que foi se tornando cada vez mais otimista e divertida – e o distraía daquelas lembranças traumáticas da infância. Em seguida, encontrou uma outra válvula de escape na sua imagem pública de celebridade articulada, conhecida por sua habilidade de entreter as pessoas.

Mas quando vi meu pai morto, seu rosto se tornara uma espécie de máscara grega. A tragédia que sofrera tão cedo – e que lutara tanto para superar através de uma vida inteira de negação orgulhosa – tinha finalmente cobrado seu preço. A tristeza aterrorizada do garotinho obrigado a se ajoelhar do lado da mãe e rezar por ela enquanto o câncer a arrasava estava clara naquele rosto. Sua expressão era de um fracasso insuportável e desolador por, apesar de todas as suas orações, sua mãe ter morrido, deixando-o sozinho para enfrentar o mundo. A dor prematura e terrível era visível nos traços graves do seu rosto: ele perdera a mulher que mais amava e da qual mais precisava no mundo.

Pobre do meu pai!, pensei. Como ele deve ter sofrido! Não admirava, percebi naquele instante, que tivesse escolhido fugir de uma realidade tão horrorosa... Não admirava que meu pai quisesse tanto poupar a família e a mim daquele tipo de morte lenta.

Minha mãe e meu pai escolheram morrer de formas semelhantes. Ela também preferiu uma morte súbita.

Um dia, mamãe foi ao médico, e ele lhe disse que ela tinha um aneurisma.

– O que isso significa? – perguntou minha mãe.

– A senhora tem uma escolha – disse-lhe seu médico. – Pode operar... o que pode ser algo bastante demorado e difícil. A senhora levaria pelo menos seis meses para se recuperar. Por outro lado, se não fizer a operação, pode morrer a qualquer momento.

– Perfeito! – exclamara mamãe com sua energia positiva de sempre.

Ela morreu na época de Natal, menos de dois anos depois do meu pai.

Era triste não haver tido a chance de dizer aos meus pais, antes de eles me deixarem de forma tão repentina, o quanto eu os amava. Ainda me sentia culpado. Deveria ter estado mais com eles, para tentar confortá-los.

Mas, apesar de todo o amor que sentia pelos meus pais – e de todo o amor deles por mim –, sabia que, se ainda estivessem vivos, eles provavelmente ficariam bastante infelizes e constrangidos em face do meu novo trabalho e da vida que estava levando. Ambos precisavam que eu fosse um ator feliz na peça feliz que eles tinham criado, e nada que eu fizesse era o suficiente para eles.

Eles ficariam confusos e irritados ao saberem que eu estava feliz servindo cafés e encontrando tamanho prazer e amizade entre pessoas às quais eles mal dariam atenção. Ficariam surpresos por Crystal e seus parceiros terem se tornado amigos tão bons para mim. Esta seria uma verdade chocante: eu estava satisfeito com meu trabalho humilde e minha vida simples. Não podia mais viver em função de fazer meus pais felizes.

A sensação de felicidade crescente no meu coração era inegável. Aquela felicidade profunda, nova e serena, me pegava desprevenido no meio da correria ao servir uma fila imensa na Starbucks. Também conseguia sentir a felicidade brotar nos meus momentos de silêncio e na ausência de qualquer tipo de vida social. Nada mais de festas chiques. Mas eu sabia que meus pais gostariam que eu continuasse a acompanhá-los na sua idéia de uma vida maravilhosa num mundo perfeito, o mundo da alta sociedade.

Eu não tinha mais a energia ou a vontade para tanto. Graças a Crystal e à Starbucks, não precisava mais daquilo. Crystal e a Starbucks me libertaram para ser eu mesmo.

Respirando fundo e me recordando da sabedoria que ela provara ter desde que a primeira vez que a vi, disse a mim mesmo que Crystal não iria simplesmente me descartar naquele instante só porque Tawana estava tentando me fazer ser despedido.

E tinha razão.

Crystal sorriu. Graças a Deus.

– Olhe, Mike, eu poderia lhe dar uma advertência por escrito por conta disso... Mas não quero estragar seu histórico excelente.

Obrigado, Crystal, disse silenciosamente a mim mesmo.

– Você tem feito um ótimo trabalho recebendo e saudando os clientes, e com as degustações de café... – sua voz foi sumindo –, mas precisa administrar melhor a sua caixa.

– Talvez eu fale demais com os clientes enquanto dou o troco – sugeri, buscando com sinceridade alguma forma de me redimir.

Porém, naquele instante Tawana apareceu no escritório. Ela não quis esperar que Crystal me desse a advertência. Provavelmente, estava preocupada que eu não fosse punido o suficiente.

– Olá, Tawana – disse Crystal. – Falei com Mike sobre a caixa.

– Ele deveria receber uma advertência – disse Tawana. – Os parceiros podem ser demitidos por esse tipo de coisa.

Crystal parou de falar. Ela era uma mulher forte, capaz de lidar com as pressões de seu cargo. Quando outros parceiros cometiam erros, eu a via ser sempre firme, porém justa.

– Eu conheço meu trabalho, Tawana – foi tudo o que Crystal disse.

O tom dela transmitia de forma tranqüila que o assunto estava encerrado. Não era o tipo de pessoa que se deixava ser forçada a fazer o que não queria.

Tawana lançou a Crystal aquele olhar de raiva e indignação que geralmente direcionava a mim.

– Mike vai se sair melhor daqui para a frente. Sei que ele é capaz disso.

– Ninguém precisa fazer faculdade para lidar com a caixa registradora – falou Tawana, saindo o escritório com raiva.

Eu sabia o que provocara aquele comentário aparentemente irrelevante. Tawana tinha feito faculdade e não conseguia acreditar que precisava de um trabalho tão braçal quanto operar uma caixa registradora ou preparar bebidas no *espresso bar.*

Voltei para a frente da loja, aliviado pela confiança de Crystal, mas ainda perturbado por Tawana estar com tanta raiva de mim. Mas conseguia entender por que ela se sentia daquela forma. Do seu ponto de vista, eu vivia numa bolha isolada de privilégio. Ela certamente não estava disposta a me dar nenhum desconto. Quem tinha dado desconto para Tawana? Ela me via como um representante de outro mundo, um mundo que a tinha oprimido.

O mais extraordinário era a atitude de Crystal. Ela havia crescido naquele mesmo mundo barra-pesada, voltado contra ela, mas, de alguma forma, encontrou no seu coração a capacidade de me ver como uma pessoa – e não como um símbolo de uma sociedade repressora.

Não podia deixar de concluir que parte da raiva que Tawana sentia de mim se dava por eu ser um velho branco – integrante do grupo que ela acreditava tê-la oprimido. Talvez eu fosse o tipo de pessoa que a rejeitaria quando ela fosse procurar um emprego, otimista com seu novo diploma.

E o pior é que eu certamente poderia ter sido esse tipo de idiota no passado, admiti. Mas eu sabia que não era mais daquele jeito. Tawana estava sendo injusta comigo. Os demais parceiros pareciam ter me aceitado – apesar das nossas origens diferentes. Consideravam-me um colega de verdade. Por que Tawana não podia fazer o mesmo?

Naquele instante, Kester colocou a mão no meu ombro.

– Anime-se, Mike. Tawana é assim com todo mundo. Não leve para o lado pessoal.

Naquela tarde, eu a observei de longe e vi que ele tinha razão. Tawana era assim até com alguns clientes. Seu ódio era democrático. Ao fim do dia, pude ver que ela não estava me atacando, estava atacando todo mundo. E senti uma compaixão verdadeira por ela. Como eu teria me sentido se, depois de me formar na faculdade, não conseguisse o emprego que imaginara? Eu ganhei um emprego ótimo assim que saí da faculdade, sem levantar um dedo.

Neste sentido, eu era o um alvo perfeito para sua raiva. Tawana sabia que eu não tinha sofrido como ela. Daquele momento em diante, com o conselho de Kester ecoando nos meus ouvidos, não levei a raiva dela para o lado pessoal. Não era mais o esnobe que costumava ser. Usava com orgulho uma camisa da Starbucks e sabia, no fundo do meu coração, que poderia ajudar Tawana – ou qualquer outro parceiro – a ser o mais bem-sucedida possível.

Pouco depois daquilo, lembrei-me de como, na J. Walter Thompson, me orientavam a não enviar "memorandos elogiosos" para ninguém, porque aquele tipo de mensagem positiva poderia deixá-los vulneráveis a um processo judicial, se tivéssemos que demitir a pessoa mais tarde. Éramos incentivados a ser parcimoniosos com qualquer tipo de elogio – sobretudo com comentários positivos por escrito. "Esse elogios podem voltar para nos assombrar", entoava o diretor de RH.

Já na Starbucks, eu podia expressar com liberdade como gostava dos meus parceiros. Comecei a escrever bilhetes para os meus colegas, por serem tão gentis e prestativos comigo. Escrevi a Kester agradecendo seus conselhos e liderança, chamando-o de "um grande treinador". Fiz um bilhete para Bianca, dizendo que seu sorriso meigo significava muito para mim, quando eu via uma fila longa de pessoas esperando que eu anotasse seus pedidos e lhes desse o troco. Escrevi para Joann, falando como sua competência discreta e paciente tinha me ajudado a passar pela experiência de fazer tudo pela primeira vez.

Escrevi a Crystal dizendo, com o mínimo de palavras, como eu me sentia agradecido não apenas por ela me ter dado uma chance, mas também por garantir que eu tivesse sucesso no novo mundo em que havia entrado. "Você é uma verdadeira estrela na Starbucks", escrevi.

Escrevi a Charlie sobre quanto ficava grato por ele ser tão alto-astral: "Muitas noites, Charlie, sua atitude positiva me dá tanta energia quanto uma deliciosa xícara de café." Também mandei um bilhete para Anthony: "Sua classe, seu sorriso sincero e jovial e até seus sapatos, sempre tão lustrosos, acrescentam brilho às nossas vidas."

Era um enorme alívio poder expressar as emoções positivas que nutria pelos meus parceiros. Não estava fazendo nenhum jogo corporativo; estava colocando meus sentimentos mais sinceros no papel.

Escrevi um poema para cada parceiro que fazia aniversário. E, nas festas de fim de ano, escrevi um elogio a todos os meus colegas:

> Vocês são meu Maior Presente
> Simplesmente por estarem presentes
> Com seu alto-astral, são uma dádiva fantástica
> e um bem precioso
> Dando-nos calorosas boas-vindas em cada turno trabalhoso
> Trazendo-nos uma felicidade renovada a cada dia
> Transformando nosso trabalho numa gostosa alegria.

Não me limitei aos parceiros, e passei a me dedicar aos clientes, aos quais também era grato. Quando algum deles fazia aniversário, eu lhe escrevia um poeminha personalizado. Para Denise, eu dizia como gostava dos seus cachecóis e chapéus geniais. Para o Dr. Paul, agradecia por todo o seu trabalho ajudando crianças. Para a bebezinha Ella, dizia que os seus gorjeios precoces eram tão bonitos quanto qualquer canção da sua xará, Ella Fitzgerald. Para Rachel, eu lhe dava os parabéns por Max: "O Bebê que é o Máximo."

Para uma cliente chamada Jane, escrevi as seguintes mal-traçadas linhas:

> Seu sorriso maravilhoso
> Quando vem pela porta adentro
> Ajuda a elevar nossos ânimos
> até o firmamento
> Você faz questão de nos perguntar
> "E vocês, como vão?"
> Quando a vemos na caixa
> Ou no balcão

Uma pequena maravilha
Você é a nossa estrela
E nossa cliente mais amada
Que nos torna melhores
Nessa nossa jornada!

Os poemas não eram grandes obras de arte, mas os clientes adoravam ser elogiados daquela forma.

Eu podia ser sincero na Starbucks porque finalmente estava num ambiente de trabalho que valorizava aqueles momentos preciosos de interação humana sincera. Desde o momento em que admiti que estava mais do que feliz em estar ali, aquilo me parecia fácil e simples. Por que todas as empresas não trabalhavam daquela forma?

Porque, precisava admitir, custava dinheiro. A JWT demitia um monte de pessoas quando deixavam de ser "lucrativas". Tinham me demitido. A maioria das empresas não queria dar aos funcionários bons planos de saúde... Custava muito dinheiro. Nenhuma outra empresa que eu conhecia oferecia benefícios tão incríveis a funcionários de meio expediente.

Além de reconhecimento constante e novas formas de aprendizado – pensei em toda a atenção e reconhecimento que recebera desde que entrara naquela loja. O respeito da companhia era sustentado por investimentos pesados em mim e em cada parceiro.

Então, eu não queria me arriscar a perder meu emprego. A caixa era a atividade de que eu menos gostava. Sabia que seria assim; no entanto, era uma parte fundamental do trabalho. Não poderia tratá-la com a mesma leviandade de antes.

Desde aquele dia, me concentrei mais quando ficava como caixa. Passei a conversar um pouco menos. Aos poucos, fui ficando mais confiante e comecei a me concentrar instintivamente no dinheiro, o que me permitiu continuar com aqueles bate-papos de que tanto gostava antes.

Duas semanas depois de Crystal ter falado comigo, somei no escritório dela o dinheiro da minha registradora. Ela estava ao telefone, encomendando mais suprimentos; eu estava calculando o total na balança. Aquilo era sempre um momento de avaliação para mim, e por isso eu o encarava com medo. Apertei um botão no computador. *Voilà*: a tela mostrou que eu tinha recebido 840 dólares e estava apenas 3 centavos além disso. Apenas 3 centavos! Aquilo seria um resultado excelente para qualquer um, até para Tawana.

Não consegui deixar de dividir com Crystal minha façanha. Quando ela saiu do telefone, exclamei com orgulho.

– Olhe, estou apenas 3 centavos acima!

Ela olhou para mim e disse casualmente:

– Ótimo. Sabia que você conseguiria, Mike.

Para ela, não parecia nada de mais. Talvez porque, ao contrário de mim, Crystal jamais duvidara da minha competência. Crystal tinha mais confiança em mim do que eu mesmo.

Nos dias que se seguiram, eu a ouvi falando a outros parceiros que eles deveriam seguir meu exemplo e puxar conversa com os clientes.

Um dia, enquanto eu limpava o balcão de condimentos depois de fazer uma das minhas degustações de café, ouvi Crystal me chamar.

– Mike – disse ela –, você tem um minuto?

Ela estava com um homem sorridente.

– Este é Abe. Falei para ele como você é maravilhoso.

Que coisa boa de se ouvir.

– Você tem um intervalo de 10 minutos agora – prosseguiu Crystal. Ela parecia sempre ter os horários de todo mundo na cabeça. Como ela fazia aquilo?

– Tenho – falei, terminando de conferir os guardanapos e o açúcar no balcão. Na Starbucks, era preciso trabalhar enquânto se falava. Sempre havia algo a fazer. Clientes pegavam punhados de guardanapos; usavam quantidades inacreditáveis de açúcar. Às vezes eu pensava que estávamos vendendo mais guardanapos e açúcar do que café! Comecei a sentir uma responsabilidade pessoal pela arrumação da loja. Quando os guardanapos ou o açúcar acabavam, eu me sentia mal.

Enquanto ouvia Crystal falar, eu continuava a trabalhar, passando um pano na caixa e limpando o balcão de condimentos.

– Durante seu intervalo, Mike, gostaria que você se sentasse com Abe. Ele é o nosso novo gerente regional e quer conhecer nossos parceiros.

– Claro – falei, feliz em compartilhar meus 10 minutos de descanso com... Abe. Ouvira falar, muito tempo atrás, que era mais fácil se lembrar do nome de uma pessoa se você a relacionasse com uma imagem. Eu tinha uma imagem à mão para Abe: uma nota de 5 dólares. Abe Lincoln, disse a mim mesmo. Alguns minutos depois, me juntei a Abe (Lincoln) e Crystal em uma mesa nos fundos da loja. Crystal se levantou.

– Vou deixar vocês dois sozinhos – disse. – Tenho um monte de trabalho para fazer.

Olhei de verdade para Abe pela primeira vez. Ele parecia ter uns 30 e muitos.

– Mike – ele disse. – Crystal me disse que você é um dos melhores na parte de serviços extraordinários. – "Serviços extraordinários" era o código da Starbucks para a interação com os clientes.

– Gosto de conversar com os clientes – respondi.

– Isso é ótimo. Lidar com as pessoas é sem dúvida a alma deste negócio.

– E eu adoro o café – falei espontaneamente. Por algum motivo, tinha a sensação que podia confiar em Abe. Sabe quando você conhece alguém e sente logo de cara que pode ser você mesmo? Abe tinha uma espécie de confiança tangível e descontraída que me deixou imediatamente à vontade.

Abe sorriu.

– Como você veio parar aqui?

– Por um gesto de bondade – falei. – Crystal me ofereceu um emprego.

Abe riu novamente. Era como se fôssemos velhos amigos dividindo uma história.

– Onde você mora? – perguntou em seguida Abe. – Crystal me disse que você é muito dedicado e nos oferece disponibilidade total, apesar de vir de longe.

"Disponibilidade total" era como a Starbucks chamava sua disposição de vir trabalhar a qualquer hora do dia ou da noite. Eu oferecera "disponibilidade total" assim que conheci Crystal e ela me ajudara a preencher meu formulário de solicitação de emprego. Eu sentia que a Starbucks ainda era mais valiosa para mim do que eu o era para a Starbucks. Então entreguei completamente minha vida a eles – física, mental e emocionalmente – e prometi, verbalmente e no papel, que estaria disponível sempre que precisassem de mim.

Minha outra prioridade, além da Starbucks, era meus filhos. Tentava visitar Jonathan o máximo que meus horários permitiam, o que geralmente significava uma ou duas vezes por semana. Minha filha Annie estava morando no Brooklyn, então ela passava na loja e eu podia encontrá-la com mais facilidade. Elizabeth, minha filha mais velha, chamava a si mesma de Bis porque, quando era pequena, não conseguia pronunciar seu nome completo. De certa forma, batizou-se sozinha, o que combinava com ela. Bis sempre fora uma força criativa, escrevendo e fazendo ilustrações próprias, quando era moça, e mais tarde roteirizando e dirigindo filmes.

Bis esteve uma vez na loja e eu a apresentei a Crystal e a vários outros parceiros, porém, ela mantinha contato principalmente por e-mail. Sempre demonstrou carinho e incentivo pelo que eu estava tentando fazer – embora também tivesse expressado sua preocupação com a bagunça que eu fizera na minha vida.

Mas, a partir do momento em que fiquei sozinho, lutando para começar uma vida nova, ela esteve lá para me apoiar. Escrevi a ela um e-mail dizendo que me sentia mal por não ter sido um pai melhor e ela respondeu: "Eu sempre me senti amada e você foi um pai maravilhoso." Ler aquilo me fez bem.

Minha filha Laura passava o ano quase inteiro na faculdade. Vez por outra, quando tinha dois dias seguidos de folga, eu ia visitá-la. Ela veio à cidade algumas vezes para visitar amigos e me ver. Laura, que eu chamava de Loda, sempre teve o dom da simpatia, embora ficasse triste por "quase nunca nos encontrarmos mais". Aquilo me deu uma sensação de culpa. Eu me sentia mal por não poder estar mais com meus filhos. Meu filho Charles também estudava longe, mas eu fazia questão de ir vê-lo de vez em quando, e levá-lo a algum jogo dos Red Sox (seu time). Eu também o visitava sempre que podia – embora isso tenha ocorrido muito raramente no ano anterior, desde que começara a trabalhar na Starbucks.

À parte a Starbucks e meus filhos, eu não fazia quase nada. Voltava para o meu apartamento e fazia uma refeição simples que consistia numa tigela de cereal ou uma lata de atum. Durante meu "horário de almoço", quando estava trabalhando na cidade, costumava atravessar a rua para comer num restaurante 24 horas. Lá, eu me permitia um prato de ovos mexidos com bacon ou um sanduíche de peru. Tínhamos apenas meia hora de almoço, então não havia muito tempo para saborear grandes pratos.

O trabalho desafiador e a luta diária para aprender as coisas e fazê-las corretamente enchia minha vida de tal forma que eu raramente me sentia sozinho. Eu encarava meu trabalho na Starbucks como uma questão de sobrevivência e me deixava envolver completamente por ele. Não tinha tempo para sentir pena de mim mesmo, e até minha culpa por ter magoado outras pessoas era aliviada pela minha dedicação a me sair bem a cada dia naquele trabalho difícil.

Assim, a "disponibilidade total" que oferecera à Starbucks tinha me ajudado a me salvar de mim mesmo e dos meus pensamentos angustiantes sobre o passado e o futuro.

Abe estava olhando para mim e percebi que não tinha respondido à sua pergunta sobre onde eu morava. Às vezes, mesmo durante conversas importantes como aquela, minha mente começava a divagar. Seria aquilo um sinal de que estava ficando velho? Não: eu sempre tinha sido um sonhador. Uma vez, anos atrás, um colega de trabalho me viu na rua e chamou meu nome. Passei direto por ele, não por maldade, mas apenas porque estava totalmente imerso no meu mundo e mal via por onde estava andando. Fugir para os meus sonhos tinha sido uma maneira de sobreviver à solidão da minha infância, e era difícil abandonar aquele hábito – mesmo quando estava conversando com uma pessoa como Abe.

Qual foi a pergunta, mesmo?, indaguei a mim mesmo. Ah, sim, onde eu moro? Era isso que Abe tinha perguntado.

– Eu moro em Bronxville – falei. – Levo uma hora para chegar aqui. – Na verdade, levava uma hora em meia, mas não queria fazer drama com aquilo para Abe.

– Bronxville? – disse ele. – Nós temos uma loja em Bronxville.

Fez-se um silêncio. Eu sabia da loja de Bronxville. Conseguia vê-la do trem quando ele chegava à cidade. E até já tinha entrado lá, para tomar um Latte.

– Sabe – disse Abe –, a Starbucks acredita que os parceiros deveriam trabalhar perto de suas comunidades. Este é um dos nossos princípios básicos: envolvimento com a comunidade.

– É uma boa idéia – falei, sem pensar.

– Você já pensou em trabalhar em Bronxville?

– Mas eu adoro minha loja da Broadway – falei, novamente sem pensar.

– Eu sei – disse Abe, sorrindo. – E está claro que Crystal e os outros parceiros adoram você. A decisão é sua, mas pode ser que um dia você queira trabalhar numa loja mais perto da sua casa.

– Bem, eu conheço o bairro de Bronxville. Estudei lá.

– Por isso mesmo – disse Abe, com um olhar sério. – Mas pense no assunto. Na Starbucks, gostamos de ajudar nossos parceiros a levar a vida da maneira que faça mais sentido para eles. Apoiaremos a sua decisão, seja ela qual for, Mike.

Que grande aval ele estava me dando. Gostei muito do apoio de Abe. Fiquei grato pela sua certeza de que eu tomaria a decisão correta.

Lembrei de como, na J. Walter Thompson, costumavam me chamar um belo dia e dizer: "Você vai trabalhar em Los Angeles." Ou: "Você vai trabalhar com a Ford."

A questão nunca era o que seria melhor para mim. Crystal voltou à mesa.

– Estão se dando bem?

Abe riu.

– Muito bem – disse ele.

– Agora, quero que você conheça Joann, Abe. Ela está com a gente há mais de três anos... é uma de nossas parceiras mais experientes.

Eu me levantei, e Joann se sentou.

Ainda levaria várias semanas para que as palavras de Abe repercutissem, mudando minha vida na Starbucks.

9

CRYSTAL ME LEVA PARA O BAR

"Dizem que a beleza está nos olhos de quem vê. Mas esquecem de dizer que não é a aparência que importa. O importante é quem você é por dentro e as escolhas que faz na sua vida."

– frase de Tiana Tozer, jogadora de basquete em cadeira de rodas, medalha de prata nas Paraolimpíadas de 1992 e bronze nas de 1996, impressa no copo de um Grande Latte Desnatado

FEVEREIRO

Durante várias semanas, Kester vinha me preparando para ser transferido para "o bar", o que significava que eu faria as bebidas propriamente ditas. O bar era o próximo degrau a subir na hierarquia da Starbucks. Era como passar de garçom a maître. No bar, você ficava responsável por entregar as bebidas da Starbucks com perfeição: com o *espresso* e o leite vaporizado na temperatura e medida certas.

Kester me mostrara como deveria manter sempre um termômetro na caldeira em que você vaporizava o leite.

– Ele deve estar entre 70°C e 80°C, nunca além disso – disse ele.

Também me ensinara como limpar as caldeiras para manter o leite fresco. Em seguida, me passara vários testes diferentes quando tínhamos alguns momentos sem clientes.

– Faça um Grande Caramel Macchiato com o *espresso* no fundo – pedia ele. Depois que eu fazia a bebida, ele media a temperatura e a pesava para se certificar de que eu tinha acertado na proporção de leite e *espresso*. Certa vez ele pediu:

– Venti Cappuccino de Soja Extra Dry.

Corri para preparar uma caneca de leite de soja. Aprendera que você sempre deveria preparar o leite antes de colocar a dose de *espresso*. O *espresso* tem aquele gosto maravilhoso por muito pouco tempo, então deve estar o mais fresco possível quando é servido. Aquilo significava que você devia vaporizar o leite antes, para poder acrescentá-lo imediatamente ao *espresso*.

Tentei vaporizar o leite de soja até ele virar uma mistura espumosa. O *cappuccino* é basicamente espuma de leite em cima de doses de *espresso*, mas com o leite de soja era difícil conseguir o ponto certo. Ele não parecia querer espumar. E então, de repente, quase saiu em erupção da caldeira, sujando o balcão inteiro. Tinha aumentado demais a temperatura para fazer a espuma subir.

Conseguia ouvir as risadas de Kester. Charlie também veio se juntar à diversão.

– É difícil vaporizar leite de soja para um *cappuccino* – disse Kester, dando-me um tapa nas costas.

– Principalmente um Cappuccino de Soja Extra Dry – acrescentou Charlie, entrando na conversa. – Esta deve ser a bebida mais difícil de todas.

– Quer que eu tente de novo? – perguntei, sorrindo, porém preocupado por ter fracassado num teste importante.

– Deixe pra lá, Mike – disse Kester. – Quase ninguém pede essa bebida, e eu ajudo você se pedirem. Agora faça apenas um Tall Cappuccino normal.

Vaporizei um pouco de leite integral para um Tall Cappuccino, coloquei uma dose de *espresso* e o entreguei para Kester medir sua temperatura e pesá-lo.

– Perfeito, Mike – disse ele com um sorriso largo.

Também fiquei aliviado. Cada bebida ainda era um grande desafio para mim. Era tanta coisa para lembrar. E já que eu nunca tinha me interessado muito em cozinhar, também não era muito bom em ser preciso – como em relação às temperaturas e coisas do gênero. O bar era um local de alta ansiedade para mim.

Então, enquanto colocava com dificuldade meu avental verde, Crytal me perguntou:

– Mike, você poderia assumir o bar hoje?

Aquela era uma oferta que eu não poderia recusar. Embora não tivesse certeza se estava preparado para o desafio, era uma chance de me livrar da temível caixa registradora. Crystal sorriu ao ver minha hesitação e desceu até o *espresso bar* para me ajudar a executar os pedidos.

Embora Kester tivesse me mostrado as várias combinações de bebidas e como todas as máquinas funcionavam, isso tinha sido quando a loja estava devagar. Mas naquele momento estávamos no meio da correria da tarde. E Crystal, que eu queria desesperadamente agradar, estava lá. Com ela observando, qualquer confiança que eu tivesse me abandonou num piscar de olhos. Naquele dia, o próprio *espresso bar* parecia um monstro prateado reluzente, capaz de expelir vapores poderosos para aquecer o leite ou produzir jatos quentes e pretos de *espresso* – mas capaz, também, de enlouquecer e sair cuspindo furiosamente ao toque vacilante de mãos inexperientes. Não tinha jeito com máquinas, e elas sempre pareceram perceber isso.

E eu era inexperiente. Depois de aquecer minha terceira caneca de leite vaporizado, me virei rápido demais, bati com ela na lateral da máquina de *espresso* e derramei tudo no chão.

Crystal foi correndo pegar um esfregão. Ela estava rindo.

– Acontece com todo mundo – disse ela.

Apesar do seu incentivo, fiquei envergonhado.

Levei muitas semanas para começar a pegar o jeito. Às vezes, me esquecia de preparar a bebida com café descafeinado para um cliente e tinha que refazê-la do zero. Outras vezes, me concentrava tanto no leite e no xarope de baunilha que me esquecia da dose de *espresso*, e os clientes voltavam ao bar perguntando por que não tinha café na bebida deles.

Estava finalmente começando a entrar no ritmo da produção das bebidas. Conseguia administrar tranqüilamente um Grande Latte Desnatado, seguido de um Tall Caramel Macchiato e um Doppio ou um Venti Mocha com dois Pumps e sem Chantilly. Estava botando pra quebrar. À medida que os pedidos eram feitos, eu os executava com intensidade e perfeição. Tinha colocado dois Tall Lattes Desnatados e um Grande Caramel Macchiato no bar. Quando olhei para os clientes, vi – para meu espanto – Charles, Laura e Bis. Os três começaram a rir.

– Não reconheci vocês na hora – falei.

– Eu reconheci você! – disse Bis.

– Meu horário de almoço é daqui a cinco minutos – eu disse.

– Ótimo.

Eles pegaram suas bebidas e foram até uma mesa.

Quando me juntei a eles, os três estavam rindo juntos de alguma piada. Fiquei feliz ao ver que pareciam estar se dando tão bem... principalmente depois de tão crescidos. Meus filhos estavam na cidade para ver a estréia do novo filme de Bis, *Todas as cores do amor*. E foi ela a primeira a aprovar meu novo emprego.

– Adorei – disse ela, olhando em volta. – É perfeito para você. – Bis estava na faixa dos 30 e era a mais velha. Era feliz na vida que criara para si mesma, fazendo filmes na Irlanda, e senti que era ela a mais aberta àquela nova versão de mim mesmo.

Neste instante, Crystal apareceu. Obviamente, queria saber com quem eu estava dividindo meu horário de almoço. Crystal e eu tínhamos ficado tão íntimos no decorrer dos últimos meses que ela já não sentia vergonha de fazer perguntas sobre minha vida particular. Levantei-me e apresentei Crystal.

– Ela administra esta loja inteira... é minha chefe.

Minha filha Laura pareceu achar graça de eu estar trabalhando para Crystal.

Laura e eu tínhamos discutido muito sobre políticas de ação afirmativa na mesa de jantar quando ela estava crescendo. Embora já estivesse na faculdade, ela não perdera uma gota da sua compaixão pelos mais pobres. Eu demorara muito a aprender que havia muitas pessoas de cores diferentes ou sem oportunidades de estudo que poderiam ter o mesmo sucesso que eu, ou até mesmo superá-lo, se lhes fosse dada a mínima chance. Como era o caso de Crystal e de quase todos os parceiros da Starbucks. Eu podia ver que Laura estava satisfeita por eu ter finalmente "entendido". E muito feliz por Crystal ter se tornado minha chefe.

– Não dê moleza nenhuma para ele – ela disse a Crystal.

Crystal respondeu com um sorriso:

– Pode ter certeza que eu não dou mesmo.

E as duas começaram a rir – às minhas custas.

– Mike está se saindo muito bem – disse ela, sorrindo para mim. – E o pai de vocês é engraçado. Todos nós gostamos de trabalhar com ele.

Então, Kester passou pela mesa.

– Telefone para você – falou ele para Crystal.

Apresentei todos os meus filhos novamente. Kester não disse nada, apenas lhes deu um sorriso largo, o que foi mais do que o suficiente. Senti que eles adoraram Kester logo de cara e, de certa forma, ele tinha me valorizado só por aparecer e agir de forma tão descontraída comigo.

– Foi um prazer conhecê-los – disse Crystal para os meus filhos e se afastou com Kester para atender ao seu telefonema. Crystal fazia questão de estar sempre disponível para todos... mesmo se fosse alguém ao telefone. "Parte do meu trabalho é não deixar ninguém na mão", ela dizia.

Quando ela foi embora, me voltei para o meu filho de 18 anos, Charles, que ainda estava no ensino médio; ele geralmente era muito calado, principalmente perto de mim. Eu estava preocupado: achava que, de todos os meus filhos, Charles teria a maior dificuldade de me aceitar. Não era o tipo de emprego do qual você poderia se gabar com seus amigos adolescentes. Meu pai tinha me dado um carro maravilhoso quando tirei minha carteira de motorista. Este era o tipo de coisa que garotos adolescentes admiravam. Não poderia fazer nada parecido para Charles. Senti culpa.

Mas, nas vezes em que conversei com ele e toquei de propósito no assunto, Charles me garantiu que não se importava com aquilo. Ele sempre teve uma espécie de serenidade e resignação alegre em relação à vida.

– O que você acha disso, Charles? – perguntei a ele.

– Você consegue um cartão da Starbucks para mim? – ele disse. Bis e Laura riram.

– Consigo, sim – falei, sorrindo.

– Legal – ele disse. Talvez por conta de a Starbucks ter se tornado tão popular entre estudantes meu trabalho lá não fosse um desastre social tão completo... Talvez, para meu filho, aquilo não tivesse a menor importância. Mas eu sentia orgulho do meu emprego e do bom trabalho que estava fazendo.

Olhei para o meu relógio. Não queria voltar atrasado do meu horário de almoço. Se eu me atrasasse, prejudicaria outro parceiro.

Combinei com meus filhos de encontrá-los novamente, depois que saísse do trabalho, naquela mesma noite. Eles me abraçaram.

Estava me sentindo melhor quando voltei para o *espresso bar*. Nenhum deles me pareceu envergonhado. Que alívio enorme. Talvez estivessem se fazendo de durões para o meu bem, mas dava para notar que estavam felizes de verdade por eu estar trabalhando duro para melhorar minha vida.

Voltei depressa para reassumir o *espresso bar*, mas Crystal fez sinal para que eu a seguisse de volta até seu pequeno escritório.

– Seus filhos são ótimos, Mike – disse ela, rindo, enquanto seguíamos para o escritório. – Você é mesmo o Sr. Sortudo.

– É verdade – falei, e ela estava coberta de razão. A sorte tivera um papel imenso. Eu não tinha ensinado Bis a ler ou a adorar o trabalho. Não tinha nem mesmo conversado com Annie sobre como transmitir emoções genuínas para uma platéia numerosa. Não ensinara a Laura como a vida poderia ser injusta se você não tivesse nascido na elite. Jamais orientara meu filho Charles a ter um temperamento elegante e sereno. E, sendo tão tenso e preocupado com horários como eu era, jamais poderia ter incentivado o talento maravilhoso de Jonathan para aproveitar o momento. Meus filhos tinham sido um presente inesperado, e que eu não merecia.

Apesar de todas as burrices que tinha feito e de tudo que deixara de fazer, de alguma forma meus filhos se tornaram pessoas justas, e pareciam dispostos a me perdoar. Sentia uma gratidão profunda por meus filhos terem corações tão compreensivos.

E por estar ali com Crystal. Era tudo parte do mesmo quebra-cabeça, do mistério do que estava acontecendo comigo. Será que o fato de eu trabalhar para Crystal na Starbucks tinha ajudado meus filhos a me perdoarem?

– Sente-se – disse Crystal. – Não é nada de ruim – acrescentou rapidamente, percebendo que eu estava preocupado. – Só quero conversar.

Ela se virou para mim. Notei que estava com o cabelo preso atrás da cabeça e que seu chapéu da Starbucks parecia um artigo de moda. De alguma forma, tudo que Crystal usava ganhava um ar de mais glamouroso.

– Andei pensando no que Abe falou.

Abe? Por um instante, não consegui lembrar quem ele era... um cliente? Então lembrei: o gerente regional que tinha dito que me ajudaria.

– Sobre a sua ida para Bronxville – disse Crystal.

– Eu disse a ele que adorava a sua loja na Broadway – apressei-me a dizer. Aquela conversa não estava tomando o rumo que eu queria.

– Eu sei. Foi o que Abe disse. Mas andei pensando no assunto. Quanto tempo de condução você pega?

– Quase uma hora.

Crystal me olhou feio.

– Quase uma hora e meia – confessei.

– É muito tempo, Mike. Depois de você, Anthony é quem demora mais. Quase uma hora. Mas eu moro a vinte minutos de distância, e você sabe que Kester está na Rua 125.

– Eu sei – foi tudo que consegui dizer.

– Só de condução você gasta... Quanto?... Mais de cem pratas por mês?

– Mais – falei, sendo sincero. Para que mentir? Crystal saberia. Já tinha desistido de tentar esconder dela a verdade. Desde as primeiras vezes que nos encontramos, em alguns aspectos, ela me conhecia melhor do que eu. Tinha provado isto. E este era outro motivo para eu não querer deixá-la.

– Então a mudança para Bronxville faria sentido para você em termos de tempo e dinheiro. Além do mais, a Starbucks tem um princípio de envolvimento com a comunidade. Você faz um trabalho excelente aqui, Mike, e pode ficar, se quiser. Seu trabalho de aproximação com os nossos clientes é maravilhoso. Mas, em Bronxville você pode ajudar a loja e ser mais útil para a comunidade em que vive.

Crystal gostava de obedecer às regras. Eu sabia que os princípios da Starbucks, como o de envolvimento com a comunidade, eram muito importantes para ela. Ela não tinha me ensinado e mostrado como funcionavam os princípios de dignidade, respeito e diversidade? Aquelas não eram apenas palavras para Crystal, e sim leis que regiam seu comportamento diário.

– Ei – disse ela, vendo a tristeza no meu rosto. – Você não precisa ir. Mas a mudança faz parte do estilo da Starbucks. Novas oportunidades estão sempre abertas para todos nós. Kester provavelmente vai seguir adiante, para um cargo melhor. Eu talvez vá para algum outro lugar um dia. Antes eu trabalhava em outra loja; posso pedir transferência... A qualquer momento.

Meu coração se encolheu. Era verdade. As pessoas estavam sempre indo e vindo. Aquele era um negócio em franca expansão. Cinco novas lojas abriam por dia. Quarenta milhões de clientes e cada vez mais deles fazendo fila na porta. Nos últimos meses vinha percebendo que até na nossa loja os negócios tinham avançado. A Starbucks estava crescendo tão rápido, como eu poderia esperar que Crystal ficasse no mesmo lugar?

O que ela disse também fez sentido financeiramente. Eu mal conseguia me manter, passando semanas a fio só com o dinheiro do aluguel e da comida. Embora os benefícios de saúde fossem ótimos, não queria ter que usá-los. Seria muito menos estressante e cansativo andar até o trabalho em vez de pegar o trem, fazer baldeação e apanhar o metrô. Se eu pudesse eliminar três horas por dia de condução, isso me possibilitaria um grande descanso físico e mental entre cada turno. Aos 64 anos, sabia que deveria pegar mais leve, se pudesse. Já tinha um tumor no cérebro, além de dores e incômodos que adquiri com a idade.

Certamente eu seria mais útil se trabalhasse ajudando a comunidade do bairro em que tinha estudado na juventude. Assim, não podia negar que meu trabalho seria mais proveitoso não só para mim, como também para a Starbucks de Bronxville.

– Ei, Mike, não se preocupe – disse Crystal, notando minha tristeza. – Vou apoiá-lo no que você quiser fazer. Seja ir para lá ou ficar aqui. A escolha é sua. Para ser sincera, detestaria perdê-lo. Os clientes sentiriam muito sua falta. Os parceiros também. É divertido trabalhar com você...

Ela fez uma pausa.

– Eu sentiria sua falta – disse ela, sorrindo, porém com os olhos sérios.

Fiquei grato por aquelas últimas palavras. Nos últimos dias, Crystal tinha me elogiado bastante em público... Mas aquelas palavras, cara a cara, de que ela sentiria minha falta foram as mais importantes.

A idéia de abandonar a segurança do que tinha se tornado um bote salva-vidas para mim me entristecia e assustava, mas o que Crystal disse naquele momento fazia sentido.

E ela estava claramente feliz por ter a oportunidade de me ajudar mais uma vez.

10

SAINDO DA BROADWAY

Para Mike

Por todas as vezes que você ficou do nosso lado, nós agradecemos. Por nos mostrar o verdadeiro significado da expressão "serviço extraordinário", nós o aplaudimos. Você nos ensinou a nunca desistirmos dos nossos sonhos. E que um dia eles se tornarão realidade. Esta é nossa oração para você.

Bom Deus, por favor, dê a ele:

- *Amigos que o compreendam e lhe sejam leais*
- *Um trabalho que tenha valor, sem o qual o mundo seria mais pobre*
- *Uma mente sem medo de viajar, por mais árduo que seja o caminho*
- *Um coração compreensivo*
- *Senso de humor*
- *Tempo para meditar tranqüila e silenciosamente*
- *A capacidade de sentir a presença de Deus, a paciência para aguardar a chegada destas coisas e a sabedoria para reconhecê-las quando chegarem.*

Que Deus continue a guiá-lo, Mike. Nós amamos você.

De todos os seus parceiros
da 93 com a Broadway

– de uma oração escrita para mim no meu último
dia de trabalho com Crystal e meus parceiros

MARÇO

Meu último turno só começaria às 13h. Já eram 12h na minha pequena estação de trem no subúrbio, mas eu sabia que conseguiria chegar à minha loja na cidade com folga. Saltei para dentro do trem na Central Station, corri para fazer a baldeação para Times Square, entrei no metrô número 3 que seguia até a Rua 93. Já conseguia realizar aquela rotina frenética numa espécie de transe zen. Mal pensava sobre meus movimentos – simplesmente os fazia, como um nadador que desiste de lutar e se deixa levar pela maré, carregado pelas ondas. No entanto, cada passo para a frente naquela tarde me lembrava de que aquele era meu último dia.

Costumávamos brincar dizendo que a nossa loja da Starbucks era o melhor espetáculo em cartaz na Broadway. Porém, eu estava saindo do circuito da Broadway para uma loja bem ao lado do meu apartamento em Bronxville. Deixar de apanhar aquelas conduções seria uma boa mudança para mim, mas naquela altura da minha vida eu sabia que, quando você saía de um lugar, nunca era fácil voltar. Eu voltaria – de vez em quando – para dar um alô para meus parceiros da 93 com a Broadway, mas nunca mais trabalharia com eles novamente.

Enquanto subia as escadas íngremes do metrô em direção à luz enevoada de março, vi mais adiante, quase na altura dos meus olhos, a imagem curiosa de um par de sapatos Lobb, o calçado masculino mais caro do mundo. Fui arrancado violentamente do meu transe zumbificado. Era fácil identificar um par de sapatos Lobb. Eles emitem uma espécie de brilho interno; o couro parece reluzir como ouro polido. E seus donos, inevitavelmente, os mantêm engraxados à perfeição. Para conseguir um par, você precisa ir à Inglaterra, para que Lobb tire o molde dos seus pés. Os sapatos, então, são feitos de acordo com as suas medidas específicas. Cada par custa vários milhares de dólares.

Meus olhos viajaram dos sapatos até o tronco do homem, apertado dentro de um terno risca-de-giz azul transpassado, com listras grossas, claramente feito à mão por um alfaiate inglês. Um terno daqueles custaria ainda mais do que os sapatos. Quem gastaria tanto na sua aparência pessoal e andaria de metrô? Calçados e ternos daquele tipo geralmente só eram vistos dentro de uma limusine.

Percebi que havia algo no jeito de andar desajeitado daquele homem que me era familiar. Ele se movia com a mesma arrogância truculenta de um colega meu do Colégio Buckley e de Yale, que tinha fama de ser tão inacreditavelmente rico quanto sovina: Everett Larkin Fallowes era capaz de gastar milhares de dólares consigo mesmo – e andar de metrô para economizar os trocados da gorjeta do taxista. Ele era conhecido por nunca dar gorjeta a ninguém. Chegou a entrar numa briga com um motorista de táxi uma vez – e por pouco saiu do carro com vida.

Um ano atrás, talvez eu buscasse avidamente sua companhia. Everett (como ele pedia que os amigos o chamassem) era um símbolo do status do meu passado de privilégios. Antes do meu emprego na Starbucks, na minha insegurança, eu teria recorrido a ele como uma recordação necessária da minha antiga vida. Porém, naquele dia em especial, eu não precisava mais visitar o mundo supostamente seguro que havia deixado para trás.

Passei por Everett para entrar na minha loja. Descobrira que meus antigos conhecidos não me reconheciam mais, se calhassem de entrar na minha loja, o que era raro. Com meu boné preto e avental verde, eu era praticamente invisível para eles. Estava com o boné naquela hora, e Everett Larkin Fallowes não me olhou duas vezes. Enquanto andava, tive a sensação não de estar simplesmente passando por ele, mas deixando-o para trás, assim como já deixara para trás outros resquícios do meu eu antigo e arrogante.

Atravessei o bar e fui até o pequeno escritório dos fundos. Aquele lugar já me trazia recordações. Lembrei-me de quando

– poucos dias depois de começar na loja – tinha escutado Crystal falando sobre uma apresentação que a estava preocupando. De como aquele tinha sido um momento de transição para mim – e para Crystal. Daquele momento em diante, eu me tornei alguém para ela.

Acho que é verdade que quanto mais velho você fica, mais você chora. Isso certamente é verdade no meu caso. Sempre que a JWT me pedia para mudar minha vida inteira e me transferir para Los Angeles, Toronto ou Washington, eu ficava encantado. Era um novo desafio criar um escritório num lugar diferente. Adorava aquela sensação. Mas, na condição de um velho que tinha acabado de ganhar uma vida nova, feito novos amigos e conseguido um emprego, eu não queria abandonar aquele cenário familiar.

– Você não precisa ir, Mike – disse Crystal, lendo minha mente –, mas vai ser melhor para você.

– É, eu sei... Mas vou sentir sua falta.

– Eu também – ela disse. Mas, aos 28 anos, despedidas não são tão tristes. Tem-se o futuro pela frente, e ele sempre parece promissor.

Sentiria um falta enorme de Crystal, dos seus conselhos, da sua bondade, e de como ela me chamava de "um cara engraçado", na frente dos outros parceiros.

Olhei para a escala afixada na parede ao lado do escritório: Crystal não estaria na loja naquele dia. Fiquei desapontado; queria me despedir de verdade. Também notei que Kester só trabalharia no dia seguinte. Nem mesmo Charlie pegaria o meu turno.

Com tantos parceiros entrando e saindo em cada loja da Starbucks, eu estava preparado para o fato de que minha partida não seria uma ocasião importante. Sabia que poderia voltar para visitá-los de vez em quando. Mesmo assim, fiquei um pouco magoado por eles não se terem organizado para estarem comigo, no meu último dia.

Desci até o porão e coloquei meu avental verde. Naquela minha última tarde, subi as escadas com o coração pesado para meu último turno. Ao passar pelo quadro de avisos no caminho para o bar, percebi que uma nova foto com a "escolha do cliente" tinha sido afixada nele. Crystal escrevera em cima da fotografia: "Parabéns, Mike."

Era eu!

Um "cliente" secreto aparecia mais ou menos de duas em duas semanas para avaliar nosso desempenho e informar à diretoria da Starbucks. Aquela foto com a "escolha do cliente" tinha sido tirada quando eu estava trabalhando atrás do bar. Os critérios eram:

- Você faz contato visual?
- Você cumprimenta os clientes?
- Você agradece aos clientes?
- Você puxa conversa?
- Você reconhece um cliente pela bebida que ele pede ou pelo nome?

Eu me encaixara em todos os critérios e a loja ganhara cinco estrelas no quesito "serviço extraordinário". Cinco estrelas eram a pontuação máxima e eu sabia que a loja da Broadway nunca tinha ganhado mais do que quatro antes.

Eu estava saindo por cima.

Fui até o balcão da frente. Oops. Tawana estava no *espresso bar*. A única pessoa que eu não queria ver naquele dia.

– Mike – disse ela, na sua voz alta e autoritária –, pegue a caixa do meio.

Bati o ponto no meio das três registradoras. Peguei a bandeja com o dinheiro e fui para o escritório contá-lo. Como era de se esperar, 150 dólares. Levei a bandeja de volta para a registradora, com uma sensação de confiança. Tinha ficado melhor naquela loucura que era lidar com dinheiro. Já havia uma fila esperando nas outras duas caixas.

– Olá, Bianca – falei para a minha colega da esquerda. Ela me deu um sorrisinho caloroso.

À minha direita, estava Joann. Ela olhou rapidamente para mim e me deu as boas-vindas com um animado "Chegou ajuda!". Joann sempre fora muito receptiva comigo.

– Concentre-se, Mike – gritou Tawana, para garantir que eu não me sentisse à vontade demais.

Antes que eu pudesse atender meu primeiro cliente, ela falou comigo:

– Vou entrar para os Fuzileiros Navais.

– Que bom – respondi. – Você vai gostar de lá. – E estava falando sério. Com já tinha trabalhado com os Fuzileiros, sabia que eles eram intensos, assim como Tawana.

– Vou ser oficial – disse ela. – Depois que terminar o treinamento.

– Que bom – respondi novamente. Tawana gostava de mandar nos outros e teria a oportunidade, no Corpo de Fuzileiros Navais, de liberar sua raiva de forma positiva.

– Próximo – chamei.

O primeiro da fila era o Dr. Paul. Como um relógio, ele vinha toda manhã para tomar um Tall Cappuccino e um bagel comum com geléia. À tarde, pedia um Grande Latte Desnatado.

– Um Grande Latte Desnatado? – perguntei-lhe.

– Isso mesmo, Mike. – O Dr. Paul sempre fazia questão de me chamar pelo primeiro nome. Não só a mim, mas a todos os parceiros. Aquela era uma loja de bairro, e os clientes gostavam da sensação de intimidade.

– É o seu último dia? – perguntou o Dr. Paul.

– É – falei, surpreso por ele ter lembrado. Fazia mais ou menos uma semana que eu vinha falando para alguns dos meus clientes favoritos que estava indo embora.

– Vou sentir sua falta, amigo – disse ele.

– Eu também – falei –, mas sempre vou ter o seu livro.

– Sei – respondeu o Dr. Paul, rindo –, mas você nem tem artrite.

– Nunca se sabe – falei, enquanto ele ia pegar sua bebida no *espresso bar*. O Dr. Paul escrevera um livro sobre como conviver com a artrite e me dera um exemplar de presente.

Lembrei os meus primeiros dias, quando o conheci. Muitos clientes me perguntavam: "Eles tratam você bem aqui?" "É o melhor emprego que já tive na vida", eu respondia. "Como poderia ser ruim servir cafés e doces tão gostosos?", e eu falava sério.

Gritei o pedido do Dr. Paul para Tawana, no bar.

– Grande Latte Desnatado – gritou Tawana de volta, enfiando um copo debaixo do tubo de *espresso*. Ela trabalhava excepcionalmente bem, mas parecia fazer tudo com uma espécie de fúria determinada. Os bandidos que se cuidassem: a guerreira Tawana estava a caminho. Antes eles do que eu.

A próxima era Denise, bonita como sempre com seu chapéu da moda.

– Que tal um Grande Semidescafeinado, Denise?

– Seria ótimo, Mike, obrigada.

– Boa tarde, Ella – falei ao ver Robert e sua filha entrarem pela porta. Todos os dias, pai e filha apareciam naquele horário. Depois que Ella nasceu, Robert passou a ficar em casa para cuidar dela. Sua mulher trabalhava para a Goldman Sachs.

– Vai querer um Latte e um chocolate quente?

– Isso, Mike. É verdade que você está saindo?

Assenti.

– É, vai ser melhor... vou para uma loja do meu bairro.

– Ella, Mike está indo para uma outra loja – disse Robert para sua filha.

– Tchau, Mike – disse Ella, com aquela atitude animada e positiva de uma criança de 3 anos.

– Tchau, Ella, cuide do seu pai.

– Pode contar com isso – falou Robert, rindo, apanhando-a e seguindo para o bar.

Tinha certeza de que conheceria outras famílias na minha nova loja. Forcei-me a assumir a atitude positiva de Ella. Dizer "olá" era algo tão empolgante quanto dizer "tchau", para ela. E eu deveria me sentir da mesma forma.

– Olá, pessoal – cumprimentei o grupo de estudantes que sempre aparecia na nossa loja.

Atrás dos garotos estava Eleanor, sua mochila cheia de provas para corrigir. Ela dava aulas numa escola pública local.

– Vou apanhar o seu chá, Eleanor – falei. O parceiro que estivesse como caixa sempre tinha que preparar o chá. Para pegar uma xícara e água quente tive que ir para trás de onde Tawana estava.

– Mike – ela disse.

– Sim? – falei, na defensiva.

– Este é seu último dia?

– É.

– Olhe.

Com um pano branco molhado ela limpou com força os tubos da máquina de *espresso* que vaporizavam o leite.

– Sempre mantenha os tubos limpos.

Quase ri daquilo. Aquelas eram suas últimas e melhores palavras para mim?

– O.k. – respondi, mantendo a cabeça abaixada, concentrando-me em preparar o chá.

Uma hora depois, quando o turno de Tawana terminou, não posso dizer que sofri ao vê-la ir embora. Enquanto andava para os fundos da loja, ela berrou: "Assuma o bar, Yvette." Ela não era gentil com ninguém, pensei. Tawana tirou o avental e o boné, balançou a cabeça para desfazer as marcas do cabelo preso, parecendo se desfazer também de mim e de todos na loja enquanto se encaminhava para a porta sem se despedir. Da mesma maneira que sempre saía, como se estivesse deixando tudo para trás.

Yvette assumiu o bar. Senti-me melhor na mesma hora.

– E aí, Mike? – Ela me deu um abraço. – Como você está? – perguntou ela, esfregando minhas costas.

– Tudo bem. Hoje é meu último dia.

– Ah, é? – A mão dela se soltou das minhas costas. – Tinha me esquecido... que pena. – Ela pareceu triste. Era compreensível que esquecesse. Estava sempre numa correria tão grande...

– Pedi transferência para uma loja mais perto da minha casa – contei. – Vou economizar o dinheiro da passagem.

– Legal – disse Yvette –, mas vou sentir sua falta. Você é engraçado. – Ela me deu um abraço longo e apertado.

Engraçado. De novo. A maneira preferida de Crystal me descrever. Daquela vez, dei uma gargalhada.

– Olá, Rachel – falei para a próxima cliente. – Grande Latte Descafeinado?

– Corta essa de descafeinado – disse Rachel. – Me dê um café de verdade. Não estou mais grávida, Mike.

Rachel ergueu seu bebezinho, que era lindo.

– Um Grande Latte para Rachel – gritei para Yvette e ouvi o eco poderoso.

Percebi que aqueles clientes, as Rachels, Drs. Pauls, Denises e Ellas tinham se tornando uma boa parte da minha vida, no decorrer daquele ano.

Trabalhei duro o restante da tarde. A loja estava sempre cheia de vários tipos de gente. Professores. Estudantes. Homens de negócio apressados. Pessoas em reunião – desde entrevistas de emprego até grupos de professores universitários. Muitas mães com carrinhos de bebê em busca de uma folga necessária. A fila de clientes nunca parava, e eu estava ocupado demais para ficar pensando que aquele era meu último dia. Uma das maiores dádivas do meu trabalho na Starbucks era o fato de a loja estar sempre tão agitada que não dava para pensar em mais nada além de servir os clientes. Quando estava trabalhando, não tinha tempo de ficar remoendo as coisas. Era como uma terapia para mim.

Por volta das cinco da tarde, fiquei surpreso ao ver Charlie chegar.

– Ei, Charlie – falei para ele –, hoje é meu último dia. Queria me despedir de você.

Charlie veio meio que dançando na minha direção, bateu com a mão espalmada na minha e disse:

– Até mais.

Senti-me melhor. Pelo menos tive a oportunidade de me despedir de Charlie. Eu o colocara em contato com um cara que tinha conhecido anos atrás e que trabalhava com música. Charlie me falou que ele o estava ajudando a fazer um "CD profissional de verdade".

Então, por volta de 17h45, logo antes de eu tirar a bandeja da minha registradora e bater o ponto de saída, Kester entrou com um sorriso largo no rosto. Ele apertou minha mão.

– Kester, que bom que você veio. Eu queria me despedir.

– O.k. – disse ele, indo também para os fundos.

Às seis em ponto, Crystal apareceu. Algo começou a brotar no meu peito, uma sensação calorosa de gratidão. Comecei a entender o que estava acontecendo. Meus melhores amigos estavam vindo de suas casas para estarem comigo, no final do meu último turno. Aquilo era muito raro. Ninguém visitava a loja se não tivesse que trabalhar.

Até Anthony, que eu uma vez disse ser o parceiro mais elegante da nossa loja, apareceu. Anthony morava no Bronx, uma viagem quase tão longa quanto a minha, mas sempre estava com os sapatos engraxados à perfeição. Ele me chamava de "Sr. Mike", um hábito que ele pegara de outro parceiro. Puxei a bandeja da minha registradora e fui para os fundos da loja.

Estavam todos lá. Crystal na sua cadeira, rindo de algo que Kester tinha falado. Charlie dançando no ritmo da música que saía dos seus fones de ouvidos. Anthony, que tinha mais de um metro e oitenta, recostado na parede com um sorriso delicado no rosto. Quando entrei na sala, eles fizeram uma pequena festa. Ficaram me observando enquanto eu terminava de pesar o dinheiro. Tinha passado apenas alguns centavos da meta.

– Terminou bem – disse Kester, fazendo todos rirem. – Ei, Mike – prosseguiu ele, claramente o líder daquele grupo –, o que você vai fazer hoje à noite?

– Nada, vou para casa.

– Que tal sair para jantar... por nossa conta?

Fiquei profundamente comovido pelo convite.

– É claro! – falei.

Quando saímos da nossa loja da Starbucks, Kester tirou uma câmera pequena e moderna e insistiu que todos tirássemos uma foto em frente à loja. O sol vermelho começava a se pôr. Kester pediu a um transeunte para tirar a foto.

– Mais uma – gritou Charlie. – As câmeras me adoram.

Tinha certeza que sim. Perdi a conta de quantas clientes tinham me pedido o telefone de Charlie naquele ano.

Todos estavam se sentindo bem quando entramos num bar na esquina. Nunca tinha comido ou sequer entrado ali, mas Kester e os demais eram bem conhecidos. Eles pediram as comidas e bebidas e não me deixaram pagar nada.

Crystal entrou no clima da festa, rindo e jogando sinuca. Também joguei – pela primeira vez em 40 anos – e não fiz feio. Bianca se juntou a nós à noite, e Joann passou por lá, mas ficou só um minuto. Não estava se sentindo muito bem.

O tempo pareceu se dissolver e, quando olhei para o relógio, já era 1h. Todos ainda estavam firmes e fortes, mas eu não era jovem como eles. Quando viram que eu estava me aprontando para ir, Crystal me parou. Kester, Anthony, Charlie e Bianca estavam conversando numa mesa nos fundos do bar e Crystal fez todos se calarem ao se levantar.

– Quero dizer uma coisa. Você é um cara engraçado, Mike.

Todos riram e aplaudiram.

– Você nos ofereceu serviço extraordinário de sobra... Estou falando sério! Mas o mais importante é que ofereceu a si mesmo. Eu escrevi um poema para você.

– Todos nós escrevemos – exclamou Charlie.

– É, mas eu escrevi a maior parte – disse Crystal.

– E eu não fiz nada – emendou Kester –, mas vou sentir sua falta, Mike. Foi muito bom fechar a loja com você.

Crystal leu o poema, chorando um pouco no final. Pedi que todos o assinassem. Aquilo era melhor do que um diploma ou um prêmio para mim.

– Agora eu quero falar um pouco – disse.

– Você sempre quer falar – disse Kester, e todos riram.

– É verdade. E você salvou minha vida. Kester salvou minha vida uma noite.

Kester me pedira para não falar sobre o que ele fez com o cliente fora de controle com a faca; segundo ele, Crystal o mataria se ficasse sabendo daquilo. Então eu não disse nada, mas fiz questão de dizer a eles o que estava sentindo.

– Crystal, você, Kester e Charlie, Bianca e Anthony, todos os meus parceiros, vocês salvaram minha vida.

Não conseguia dizer mais nada. Apertei as mãos de cada um deles e prometi visitá-los com freqüência. Kester e Charlie bateram nas minhas costas – com força. Anthony apertou minha mão e disse:

– Você fez uma grande diferença na minha vida, cara.

Bianca me deu um beijo no rosto:

– Cuide-se, Sr. Mike.

Crystal não disse mais nada, apenas me deu um abraço apertado que quase me tirou o fôlego.

Então eu saí para a noite de inverno, aquecido pelo amor deles.

AGRADECIMENTOS

Ao meu velho amigo William Burr Lyon, por reagir de forma tão positiva ao título do meu livro e por ter tido a grande generosidade de me apresentar à sua agente maravilhosa, Gillian MacKenzie.

Gillian foi uma verdadeira fonte de inspiração e uma conselheira inestimável nesta aventura de sucesso. Sua intuição e suas idéias foram de uma precisão inacreditável.

Gillian, por sua vez, me apresentou à sua amiga Erin Moore, da Gotham Books, que editou este manuscrito com inteligência, sensibilidade e uma rara porém bem-vinda sagacidade.

A contribuição criativa de Bill Shinker – amigo e editor de Erin – também foi essencial durante todo o processo, e ele esteve sempre disponível para dar seus conselhos sábios e precisos.

Também contei com a contribuição importante de outras pessoas na Gotham, entre elas: Jessica Sindler; Aline Akelis, encarregada dos direitos internacionais; Lisa Johnson, diretora do departamento de publicidade; e Amanda Tobier, a diretora de marketing. Gary Mailman cuidou de todos os aspectos legais. E Susan Schwartz, a editora geral, foi essencial ao juntar tudo da forma mais correta possível. Na verdade, todos na Gotham e na Penguin se esforçaram ao máximo para criar um trabalho da maior qualidade.

Gillian também me apresentou a Shari Smiley, da Creative Artists Agency, que me ajudou a ver que Tom Hanks e Gus Van Sant seriam os artistas ideais para levar minha história ao cinema. Tenho tido a bênção de trabalhar com os melhores.

Por falar em trabalhar com os melhores, esta história jamais teria sido possível sem todos os meus parceiros da Starbucks e o grande incentivo que eles me deram todos os dias. Gostaria que este livro fosse grande o bastante para incluir todas as suas histórias maravilhosas e dramáticas. Faço questão de agradecer nominalmente a pelo menos alguns dos parceiros que tornaram e continuam tornando cada turno meu na Starbucks tão empolgante e animador. São eles, em ordem alfabética:

Angela
Bryan
Bill
Carmela
Christa
Christian
Claudia
Clayton
Cynthia
Denasha
Edwin
Gillian
James
Jim
Joy
Julian
Julisa
Justin
Kate
Kevin
Lakeisha
Molly
Nehemiah
Patrick
Paula
Ralph
Tamar
Tenaya
Tiffany
Toya
Velinda
Vera
William
Yolanda

Também gostaria de agradecer a meus filhos, que tanto me apoiaram durante uma época tão difícil para eles; e também aos meus irmãos, minha família e meus amigos. Estou em dívida com tantas pessoas que é impossível citá-las uma a uma. Mas gostaria de fazer uma menção especial a Brenda e Elise, que me deram a idéia de colocar as citações dos copos da Starbucks no início de cada capítulo. Obrigado a vocês e a todos, incluindo os clientes leais e gentis da Starbucks, por me ajudarem a criar a vida surpreendentemente nova que tenho hoje.

INFORMAÇÕES SOBRE OS
PRÓXIMOS LANÇAMENTOS

Para receber informações sobre os lançamentos da Editora Sextante, basta cadastrar-se diretamente no site www.sextante.com.br

Para saber mais sobre nossos títulos e autores, e enviar seus comentários sobre este livro, visite o nosso site www.sextante.com.br ou mande um e-mail para atendimento@esextante.com.br.

Editora Sextante
Rua Voluntários da Pátria, 45 / 1.404 – Botafogo
Rio de Janeiro – RJ – 22270-000 – Brasil
Telefone (21) 2286-9944 - Fax (21) 2286-9244
E-mail: atendimento@esextante.com.br